DOUBLE MEURTRE
À L'ABBAYE

Retrouvez les personnages de l'abbaye de Hautefage dans :
Crime à Hautefage
Ce que savait le mort de la forêt

© 1998, Castor Poche Flammarion
© Flammarion pour la présente édition, 2012
87, quai Panhard-et-Levassor – 75647 Paris Cedex 13
ISBN : 978-2-0812-4204-3

JACQUELINE MIRANDE

DOUBLE MEURTRE À L'ABBAYE

Flammarion Jeunesse

1

Un cadavre inattendu

Thomas le Rouge – qu'on nommait ainsi à cause du roux flamboyant de ses cheveux – avançait sans bruit au milieu des fougères. L'approche de la nuit et un vilain temps de novembre avaient beau obscurcir le sous-bois, il se méfiait. Les clairières se multipliaient dangereusement dans la forêt aux abords de l'abbaye de Hautefage, comme souvent près des terres récemment défrichées.

Il s'entêtait, pourtant, à braconner dans ce coin car les moines fermaient les yeux, au contraire de leur puissant voisin, messire Raymond, seigneur de la vicomté de Pleaux. Celui-là, il ne faisait pas bon s'aventurer sur ses terres que surveillaient les hommes du prévôt Guillaume Taillefer ! Le bien nommé. Dur aux pauvres gens, cœur de pierre. Thomas en cracha de dégoût, ce qui le soulagea.

Puis il se glissa derrière un gros génévrier. Il avait posé là un collet. Est-ce qu'un lapin se serait pris ?

Il l'espérait. La faim le tenaillait. Comme beaucoup d'autres en ce temps de grande misère.

Depuis qu'avaient recommencé sur ces rebords de monts d'Auvergne les chevauchées militaires du roi Henri II d'Angleterre, duc d'Aquitaine par sa femme Aliénor, des bandes de mercenaires se répandaient dans les campagnes, brigands autant que soldats, pillant les biens, les troupeaux, les récoltes, brûlant les maisons, harcelant les bourgs, rançonnant les abbayes, ici un jour, là le lendemain. Ils s'abattaient soudain sur vous comme la grêle qui dévaste une vigne et épargne l'autre. Sait-on pourquoi ?

À cette pensée, Thomas le Rouge toucha vivement dans la bourse accrochée à ses braies[1], sous son gros surcot[2] de futaine, la médaille en cuivre de saint Donat qui protège de la foudre et voisinait, pour l'heure, avec un clou rouillé, un bout de fil de chanvre et une lame de couteau ébréchée.

Le collet était vide. Thomas soupira. Les lapins devenaient de plus en plus malins ou bien ils fuyaient eux aussi les soldats ! C'est alors qu'il aperçut le grand bâton des pèlerins de Saint-Jacques, le bourdon, tombé là, en travers du lierre, comme un bois mort de plus. Aucune besace n'y était pendue, aucune gourde même vide. Thomas le regretta,

---

1. Braies : pantalon ample.
2. Surcot : robe de dessus portée au Moyen Âge.

mais le bâton était quand même bon à prendre. Il le ramassa.

Et il restait là, songeur. Quel pèlerin peut ainsi abandonner le bourdon qui lui sert d'enseigne ? Puis il aperçut les chevaux, deux beaux chevaux, des chevaux de seigneur, à trois coudées de lui, derrière les ronciers. Pour un peu, il tombait sur eux ! Et où étaient les cavaliers ?

Il écarta doucement les ronces, risqua un œil et se rejeta vivement en arrière, effrayé à l'idée qu'on puisse le surprendre. Les deux cavaliers tiraient hors d'un buisson le cadavre d'un pèlerin – il avait encore son chapeau à coquille accroché au cou. L'avaient-ils tué et où l'emmenaient-ils ? Car, à présent, ils le traînaient.

La curiosité l'emportant sur la peur, Thomas le Rouge décida de les suivre et de tenter de voir leurs visages. Mais auparavant, il cacha le bourdon sous des branches mortes. Il voulait être sûr de le retrouver.

L'office de nuit s'achevait. Le jour n'allait pas tarder à se lever. Deux par deux, les moines commencèrent à quitter la chapelle, suivis des novices et des frères lais.

Le père abbé, Arnould, resta seul, agenouillé dans la stalle de bois sculpté qui lui était réservée. C'était un homme déjà âgé, qui avait eu beaucoup d'autorité mais, à présent, son dos se courbait, les rhumatismes le paralysaient à demi, et il éprouvait, par moments, un sentiment de fatigue si pesant qu'il songeait à se

9

démettre de sa charge. Redevenir un simple frère, ne plus avoir à discuter, à gérer. Pouvoir prier en paix...

Il aperçut frère Jérôme qui, le dernier, se glissait hors de la chapelle. C'était le portier de l'abbaye. Il allait, tout à l'heure, ouvrir en grand les portes de la première enceinte pour permettre aux fidèles venus de partout d'assister à la messe solennelle par quoi débuterait la grande fête votive de Saint-Martin, patron de l'abbaye de Hautefage. Les pèlerins afflueraient et aussi les marchands, venus, eux, pour la foire qui allait durer la semaine. Et les jongleurs, et les voleurs...

Le père abbé se retint de soupirer. Les voleurs n'étaient pas les pires ! La guerre, avec son cortège noir de viols, de morts, d'incendies, de famine, voilà le vrai fléau, la bête de l'Apocalypse. Le père abbé se remit à prier. Qu'au moins cette journée de fête soit jour de paix. Même si saint Martin avait été, en son temps, un soldat !

Tandis que le père abbé continuait à prier, frère Jérôme, aidé de deux forts valets d'armes prêtés par le prévôt pour la circonstance, achevait de pousser les lourds vantaux de bois de la grande porte séparant l'enceinte commune de l'abbaye de celle uniquement réservée aux religieux. On ne l'ouvrait qu'une fois l'an, pour la fête de Saint-Martin. Une simple poterne suffisait, le reste de l'année, aux allées et venues des moines et de leurs visiteurs.

C'était dans l'enceinte commune que se trouvaient l'hôtellerie, les écuries, les remises et divers logements affectés à des serviteurs laïcs aidant à l'entretien des bâtiments. Les granges, avec leurs réserves de grains et de foin, les étables à moutons, la porcherie étaient plus éloignées, de l'autre côté de la rivière où commençaient les terres de l'abbaye. Elles étaient très étendues ; le monastère de Saint-Martin était l'un des plus importants et des plus riches de ce pays des confins d'Auvergne qui alliaient la rudesse de la montagne proche au début de douceur de plaines ensoleillées.

Tout en dirigeant la manœuvre d'ouverture du dernier battant, frère Jérôme inspectait le ciel avec appréhension : aube rouge, signe de vent et de pluie. La fête serait moins réussie que celle de l'an passé où il avait fait un temps beau et sec, un vrai temps d'été ! Miracle de saint Martin qui ne pouvait chaque année se renouveler ou alors où serait le miracle ?

Frère Jérôme avait de la piété mais aussi du bon sens et la solidité un peu rugueuse des troncs de châtaignier auxquels il grimpait, enfant.

La porte maintenant grande ouverte, il jeta un regard de droite et de gauche. Rien ne bougeait encore. Il était trop tôt. Juste quelques servantes à moitié endormies s'en allaient tirer l'eau au puits pour leurs maîtresses couchant à l'hôtellerie.

Soudain, frère Jérôme fronça le sourcil. Que faisait là cet homme, étendu tout du long près de la porte, enveloppé dans sa cape et le chapeau couvrant le visage ? Un chapeau qui, à mieux regarder, portait la coquille des pèlerins de Saint-Jacques ! Il semblait dormir profondément. Un court instant frère Jérôme hésita à le laisser prolonger son somme – pour s'être laissé tomber là, il fallait qu'il ait été harassé par une longue marche ! Puis, quelque chose d'anormal dans la position du corps le fit s'approcher, mieux regarder, soulever légèrement le chapeau masquant le visage. Le doute n'était plus possible, cet homme ne dormait pas, il était mort.

Les valets d'armes du prévôt venaient à leur tour, l'un d'eux attrapait le corps, le laissait retomber vivement comme s'il s'était brûlé à un tison :

— Quelqu'un l'a tué. Voyez vous-même, mon frère.

Jérôme souleva le corps avec effroi : non que la mort elle-même lui fasse peur, mais penser qu'un meurtre ait pu être commis dans l'enceinte même de l'abbaye et au matin de la fête solennelle de Saint-Martin le remplissait d'horreur, comme si le prince des ténèbres en personne avait signé le crime. Mais il se ressaisit, ordonna d'une voix ferme aux valets d'armes :

— Restez ici, empêchez que quiconque s'approche. Je vais prévenir notre père abbé.

Arnould arriva aussi rapidement que le lui permettaient ses rhumatismes, regarda à son tour le corps puis le début du jour et l'agitation qui commençait à envahir la première enceinte. Les portes de l'hôtellerie étaient ouvertes, les palefreniers s'activaient aux écuries, des groupes de pèlerins approchaient, ainsi que des cavaliers. Il ferma à demi les yeux en pensant au scandale qu'allait provoquer ce meurtre commis dans une enceinte considérée comme sacrée. Et commis par qui ? Et sur qui ?

— Il faut prévenir le prévôt. Il loge à l'hôtellerie pour le temps de la foire. Allez le chercher, ordonna le père abbé.

Cinq minutes après, le prévôt accourait, achevant de boucler sa ceinture de cuir, la barbe et les cheveux en désordre de quelqu'un tiré en hâte de son lit.

Il salua le père abbé et se pencha sur le corps pour l'examiner :

— Coup de dague, reçu par-devant. Mais... (il retourna le corps, tâta la pèlerine)... je doute que le meurtre ait été commis ici. Cette cape est raide de sang. L'herbe autour devrait l'être aussi. Or, il n'en est rien ! Non, on a traîné le cadavre ici, après.

— Ah, dit le père abbé soulagé en partie, du moins n'y aura-t-il pas eu sacrilège ! Mais pourquoi le déposer ici ?

— Pour qu'on le voie, dit frère Jérôme avec bon sens.

Le prévôt secoua la tête :

— Alors, c'est un fou ! Il veut qu'on voie son crime ! Depuis cinq ans que le vicomte de Pleaux, messire

Raymond, m'a nommé son prévôt, je n'ai jamais rien vu de semblable !

Leur conciliabule n'était pas passé inaperçu. Des gens commençaient à s'approcher. Le prévôt fit signe à ses hommes de les éloigner.

Un groupe de cavaliers entra soudain dans la cour, en menant grand tapage.

— Messire Raymond, murmura le prévôt en s'avançant vivement à sa rencontre.

Le chef de la vicomté de Pleaux était un bel homme jeune, brun, monté sur un alezan magnifique. Il portait avec élégance un manteau en drap vert bordé de petit-gris et orné de franges de soie. Un fermail en émaux cloisonnés le tenait attaché à l'épaule droite, laissant voir, par la fente de côté, un surcot en soie écarlate. Sur la tête, un chapel galonné d'orfroi, orné d'une plume de paon.

Il mit pied à terre et, écartant le prévôt d'un geste négligent de la main, s'avança vers le père abbé qu'il salua courtoisement. Puis il vit le corps, fronça les sourcils, regarda la plaie longue et fine, à hauteur du cœur :

— Joli coup de dague ! Celui qui l'a tué n'était pas un novice ! En tout cas, son pèlerinage est fini, qu'il aille à Compostelle ou qu'il en revienne !

— Il en revenait sûrement, répondit le prévôt. Personne ne se met en route à l'approche de l'hiver.

Le père abbé interrompit sèchement des commentaires qu'il jugeait frivoles en la circonstance :

— Messire, il s'agit d'un meurtre et des plus condamnables qui soit, celui d'un pèlerin à qui l'on doit assistance mieux qu'à un autre.

Raymond de Pleaux eut une moue sceptique :

— S'il était vraiment pèlerin ! Les faux courent les routes par ces temps troublés.

— Un homme reste un homme et un meurtre, un meurtre ! dit avec sévérité Arnould.

— J'entends bien, fit Raymond de Pleaux avec désinvolture. Et c'est votre devoir, messire abbé, de nous le rappeler. Mais si personne ici ne le connaît, enterrez-le et qu'on n'en parle plus ! N'est-ce pas votre avis, ma mie ? fit-il en se tournant vers une très jeune fille qui venait de les rejoindre escortée d'une servante âgée.

Elle avait, sous l'étroit bandeau de lin bleu encadrant son visage, des traits d'une grande pureté et des yeux à l'expression grave. Son corps mince disparaissait dans les plis d'un manteau en velours écarlate. L'encolure de sa robe de brocart bordée d'hermine accentuait la finesse de son cou. Elle portait de lourds bracelets d'or et, à l'index droit, une bague ornée d'une pierre verte.

— Pauvre homme, dit-elle en regardant le corps. Dieu aie pitié de son âme.

Et elle se signa.

Puis, soudain, son visage changea. Un sourire le transforma. Ses yeux devinrent gais :

— Guy ! Mais c'est Guy de Servières qui est là !

Deux cavaliers venaient d'entrer, à leur tour, dans la cour de l'abbaye. Un jeune, l'autre plus âgé. Vêtus tous deux assez simplement, presque pauvrement, mais leurs chevaux étaient beaux et le plus jeune des deux hommes avait piqué sur son chaperon un brin de houx dont les baies rouges s'accordaient assez au pétillement de ses yeux noisette et à un air général de fantaisie et de gaieté émanant de lui.

Il sauta lestement de sa monture, tendit la bride à l'autre cavalier, visiblement son écuyer, et se dirigea vers le groupe formé par le père abbé, le prévôt, Raymond de Pleaux et la jeune Agnès de Montal.

Ce fut cette dernière qu'il salua en premier :

— Agnès, que j'ai de joie à te revoir après toutes ces années ! (Et, avec un geste d'excuse envers Arnould :) Pardonnez-moi, messire abbé, ce mouvement de cœur mais, vous le savez, vous qui avez connu mon père, Agnès fut la compagne de mes jeux, ou, plutôt, je fus le compagnon plus âgé, celui qui organisait ses jeux d'enfant. Pardonne-moi aussi, Raymond, beau cousin, si je n'ai pas été encore te voir, mais je suis rentré il y a peu.

— Où étais-tu, tout ce temps ? Loin, car on n'a rien su de toi, dit Raymond de Pleaux avec une certaine froideur.

Guy le regarda d'un air un peu moqueur :

— Je n'étais pas mort, tu vois ! (Puis, fixant le cadavre étendu près d'eux.) Ce pèlerin, qui est-ce ?

— Nul ne semble le connaître, répondit le père abbé.

Et comme les gens continuaient d'affluer vers leur cercle, en dépit des hommes du prévôt :

— Laissez-les approcher. Peut-être que l'un d'eux l'aura vu ces jours derniers ou aura fait route avec lui jusqu'ici. La fête de Saint-Martin et sa foire attirent bien des étrangers au pays.

— Il a l'air pauvre, dit Guy. Que pouvait-on espérer lui voler ?

— Rien sans doute, dit Raymond. Une rixe entre pèlerins, c'est plus fréquent qu'on ne le croit.

— Mais pourquoi l'avoir porté ici ? s'entêta le prévôt.

— Pour qu'on le voie, répéta frère Jérôme.

— Ou peut-être, dit Guy, l'air songeur, pour qu'il soit enterré en terre chrétienne et non condamné à pourrir dans un bois comme une charogne.

Raymond jeta à son cousin un regard intrigué :

— Tu prêtes à son meurtrier de bien saintes intentions. Il est vrai qu'on te disait à Jérusalem.

— Ai-je parlé de son meurtrier ? Pour ce qui est de Jérusalem, on dit tant de choses !

Le prévôt Guillaume Taillefer l'observait. C'était donc vrai ce que lui avait raconté un de ses hommes.

Le seigneur de Servières était de retour. Et où diable pouvait-il loger ? Son château brûlé, ses terres confisquées, son père mort... Pour seul homme lige, Pons, le vieil écuyer, fidèle entre les fidèles.

Le prévôt hocha la tête : les temps étaient difficiles pour les seigneurs aussi ! Les manants ne voulaient pas le comprendre qui tremblaient pour quatre hardes et un porc ! Eux avaient plus à perdre en ce temps de fidélités incertaines où les châteaux se prenaient et se déprenaient selon les mises et les victoires ou les défaites des rois.

À peine adoubé chevalier, Guy de Servières avait tout perdu. On l'avait dit réduit à courir les tournois pour gagner ici un cheval, là une armure et risquer de les perdre le tournoi suivant. D'autres avaient parlé de croisade et d'Espagne. Le prévôt le trouvait vieilli, certes, mais il avait toujours cet irritant air d'insouciance et ce brin de houx piqué à son chapeau, comme à quinze ans !

Le prévôt Guillaume Taillefer était un homme d'ordre. Il aimait que le jour soit le jour et la nuit la nuit, les étés chauds, les hivers froids et les coupables châtiés. Que l'on puisse être ruiné et gai, c'était enfreindre l'ordre. Et son front se plissait de mécontentement en observant le seigneur de Servières sourire à la jeune dame Agnès qui lui souriait en retour comme nul ne l'avait vue sourire depuis la mort de ses parents, emportés tous deux par le mal noir, à quelques jours de distance. Elle était tout de même fiancée au vicomte de Pleaux. Les noces auraient lieu aux Pâques prochaines. C'est à lui qu'elle aurait dû sourire. Ah, tout se perdait !

— Ce mort, je le connais !

Tous les regards se fixèrent sur le garçon qui venait de parler. Il pouvait avoir une vingtaine d'années. Il était petit et mince et portait une vielle accrochée au dos par-dessus sa cape effrangée. Ses yeux très clairs dans un visage hâlé frappaient par une sorte d'innocence. Près de lui se tenait une fille, jeune elle aussi, enveloppée d'une mante sombre dont elle avait rabattu le capuchon car il commençait à bruiner et il ne faisait pas chaud.

Le regard du garçon allait, indécis, du vicomte Raymond au père abbé, comme s'il ne savait auquel des deux s'adresser. Raymond le comprit et s'inclina courtoisement vers Arnould :

— Vous êtes ici maître et suzerain. À vous, messire Arnould, de l'interroger.

— Comment te nommes-tu ? demanda Arnould.

— Je suis Jean, dit l'Oiselet, pour ce que je sais imiter le pépiement des oiseaux, le gazouillis de la mésange, le sifflet du merle, le cri de la hulotte, les trilles de l'alouette, les...

— Bien, bien, coupa le père abbé. Le temps presse. La messe solennelle sera célébrée dans moins d'une heure. Viens-en au fait. Cet homme, d'où le connais-tu ?

Il parut déconcerté :

— Je le connais sans le connaître, comme on connaît ceux avec qui l'on fait route pendant quelques jours. Je suis, vous le voyez, seigneur abbé, jongleur, diseur de poèmes, chanteur aussi. Je vais de château en château, de ville en foire avec elle (il désignait la fille debout à son côté) qui chante également et danse.

La fille fit un bref signe de tête qui pouvait passer pour un salut. Guy de Servières l'observait : ce teint sombre et pourtant lumineux, ces yeux noirs trop grands pour son visage maigre, lui rappelaient certaines filles qu'il avait connues en Espagne lorsqu'il était allé combattre les Maures de Cordoue. Ce que confirma l'Oiselet :

— Elle se nomme Flor et elle est d'Espagne. (Comme le père abbé faisait un geste impatienté, il se hâta d'ajouter :) Nous faisions donc même route avec le pèlerin mort. Je ne sais ni son nom ni d'où il venait, peut-être de Compostelle. C'était un homme qui ne parlait guère. Mais il y a deux jours, comme nous logions à l'hospice des moines de Beaulieu, il a paru différent, moins sombre. Et comme je le plaisantais sur la dame qui, sans doute, l'attendait et lui rendait le sourire, il m'a répondu que la dame qu'il allait voir ne l'attendait pas et que ce qu'il avait à lui dire lui enlèverait sans doute l'envie de sourire mais qu'il devait s'acquitter d'un devoir envers un mort. J'ai cru qu'il s'agissait d'une sorte de mission de justice car il a dit...

Guy surprit le mouvement presque imperceptible de la main de la fille posée soudain sur le bras du jongleur. Il s'interrompit net.

— Eh bien, continue ! Qu'a-t-il dit ? Parle ! ordonna Raymond de Pleaux qui l'avait écouté très attentivement.

Le garçon parut cette fois tout à fait désemparé. Il se tourna vers Arnould :

— Je ne sais plus, seigneur abbé. Tout se brouille dans ma tête. Si j'avais pensé que quelqu'un allait l'assassiner, ajouta-t-il naïvement, j'aurais mieux retenu ses paroles !

— Vous n'en tirerez rien de plus, père abbé, fit Raymond avec dépit. Vous voyez bien qu'il est simple d'esprit.

Jean l'Oiselet baissa la tête cependant que la fille, elle, fixait assez insolemment Raymond de Pleaux.

— Je ne peux poursuivre plus avant, dit Arnould. Mais ne t'éloigne pas d'ici. Je t'interrogerai demain quand les cérémonies auront pris fin. En votre présence si vous le souhaitez, messire Raymond. Car, au contraire de ce que vous pensez, j'ai, moi, le sentiment que ce garçon a encore à nous apprendre au sujet du mort.

Il les quitta rapidement, suivi de frère Jérôme. Il allait franchir la clôture de l'abbaye lorsqu'une voix forte le fit se retourner.

— Ma présence te fait fuir, seigneur abbé ? Pour une fois que je viens à ta messe ! Tu devrais en remercier Dieu !

— Mais je l'en remercie, répliqua le père abbé avec un soupçon de sourire, car il n'est si grand pécheur, Hugues de Merle, que son Divin Fils ne soit venu sauver !

— Amen, dit Hugues de Merle. La dame de Pleaux, ma sœur, doit aussi prier pour ça, dans son couvent de nonnes où elle s'est bien malgré moi enfermée depuis quatre années.

Puis il tourna sa grande carcasse d'homme de quarante ans, bien en chair, vers le groupe entourant le mort. Voyant que Raymond et Guy encadraient Agnès de Montal, il s'écria :

— Alors, jeunes coqs, on courtise la même oiselle ? Il y a de la plumée dans l'air ! Ne rougis donc pas, fillette, tu pourrais plus mal tomber. Beaux chevaliers que mes neveux !

Il posa sa grande main gantée de cuir sur l'épaule de Guy :

— Je suis heureux de te revoir, Guy de Servières. Et mon repaire de brigands, là-haut sur mon rocher de Merle, sera toujours ouvert pour toi. Sans vouloir te décourager, je doute que tu en trouves d'autres !

Et il regarda avec ironie le visage de Raymond de Pleaux qui s'était soudain fermé. Puis, il se pencha, observa un instant le cadavre du pèlerin :

— La dague qui a porté ce coup-là n'était pas arme de vilain même si celui qui la tenait était un lâche.

— Un lâche, se récria Raymond. D'où le tenez-vous ? Il a été frappé en face.

— En face mais par surprise car il ne s'est pas débattu. Aucun désordre dans sa tenue, aucune déchirure de vêtements pourtant fort usés. C'est donc qu'il connaissait celui qui l'a frappé et qui l'a fait, je le répète, en traître.

Il regarda de nouveau le mort, eut une sorte de sourire :

— Une canaille en moins, tout pèlerin qu'il soit ! Ce sera mon oraison !

Il s'éloigna, laissant ses neveux et Agnès interloqués. Elle murmura :

— Qu'a-t-il voulu dire ? Croyez-vous que...

Elle hésitait.

— Qu'il le connaissait ? dit Guy. (Il se tourna vers Raymond.) Sa réputation de seigneur brigand ne semble pas s'être améliorée !

Raymond haussa les épaules :

— On lui prête plus qu'il ne fait. Des coups de main sur quelques riches marchands qui se risquent dans les parages de son nid d'aigle. Bien obligés, surtout les Vénitiens. C'est leur route pour se rendre aux foires d'Aquitaine. Les épices valant de l'or, notre bel oncle n'y peut résister. Tu as pu voir que notre pré-vôt a préféré disparaître que d'avoir à le saluer. Le seigneur de Merle est un affront constant à la loi !

— Il me fait peur, dit Agnès, avec sa barbe ébou-riffée, ses casaques en peau de cerf et ce couteau de chasse toujours passé à sa ceinture. Même aujourd'hui qui est jour de grande fête, il est vêtu comme pour courir le daim et il ne porte pas d'épée.

— Il en a pourtant, dit Guy, et de fort belles. Je me souviens de les avoir vues et admirées, enfant.

La servante de la jeune dame de Montal, qui était demeurée silencieuse jusque-là, dit brusquement :

— Le seigneur de Merle a été un beau chevalier, plein de droiture et de bravoure, et même s'il s'est fait brigand depuis, il n'a pas tout oublié. Je le sais bien. Nous avons sucé le même lait.

— Pourquoi es-tu restée en retrait, toi qui le défends toujours ? Il ne t'a même pas vue, gronda Agnès.

— Mais moi, je l'ai vu. Ça me suffit.

Ils se dirigèrent ensemble vers l'église abbatiale dont les portes venaient de s'ouvrir. La foule, déjà, l'envahissait. Guy chercha des yeux la jeune fille espa-gnole qui accompagnait Jean l'Oiselet mais ils avaient disparu. Il se promit de les retrouver et de les inter-roger avant le père abbé !

Dans un coin de la nef de côté, à demi caché derrière un pilier, Thomas le Rouge réfléchissait. Il avait suivi, de loin, par prudence, à cause du prévôt, toute la discussion et il repensait à la phrase de frère Jérôme. Se pouvait-il qu'il ait raison ? Qu'ils aient traîné le corps pour qu'on le voie ! Mais pourquoi fallait-il qu'on le voie ? Il n'était pas plus avancé même s'il avait un point d'avance sur le frère portier. Lui, Thomas le Rouge, il savait qui ils étaient !

2

LA FOIRE DE LA SAINT-MARTIN

La foire de la Saint-Martin – la dernière grande foire avant l'hiver – se tenait sur un terrain de l'abbaye de Hautefage mais à proximité du bourg de Miegemont qui, lui, dépendait des vicomtes de Pleaux. De là, une source de conflits sans fin entre abbés et vicomtes pour définir qui percevrait les taxes imposées aux marchands et qui se chargerait de faire régner l'ordre.

Car c'était une foire de bon rapport où se traitaient d'ordinaire beaucoup d'affaires et où venaient, de loin, des marchands importants. Mais la reprise de la guerre, avec les ravages qu'elle entraînait, la rareté de l'argent, le peu de sûreté des routes faisaient que, cette année-là, bien des emplacements restaient vides. Et les gens qui affluaient, en sortant de l'office religieux de l'abbaye, allaient d'un étal à l'autre, visiblement déçus, même s'ils étaient venus plus pour regarder que pour acheter.

Les échoppes en bois hâtivement dressées abritaient surtout de petits revendeurs. Sur les bancs des drapiers, les pièces de blanchet ou de brunette, grossièrement tissées, teintes en bleu triste tirant sur le gris ou en marron terne n'étaient relevées d'aucun chatoiement d'écarlate ou de fine laine des Flandres. Les fourreurs présentaient plus de peaux de lapin, de chat ou de mouton que de petit-gris, de martre ou d'hermine !

Il y avait bien, ici ou là, quelques beaux chaudrons de cuivre, quelques cuillers d'argent, quelques verres de Fougères, mais la plupart des pots étaient en étain, les poêles à frire en fer, les cuillers en laiton. Point ou peu d'épices, quelques pains de sel et de sucre, de petits barils de savon. Tout cela sous un ciel resté gris même s'il ne bruinait plus.

Guy de Servières avait suivi la foule, après la grand-messe et la procession, moitié par désœuvrement, moitié pour ne plus songer à Agnès quittant l'église aux côtés de Raymond. Ce n'était pas lui qu'elle devait épouser, lorsqu'il était parti, mais Géraud, l'aîné de Pleaux. Un mariage arrangé dès le berceau et que la mort de Géraud au cours d'une chasse avait à peine modifié. Raymond devenait l'héritier de la vicomté. Elle l'épousait. Pourquoi non ? Pourquoi ce sentiment absurde de maldonne ? Une amertume, rare chez lui et qui tenait aussi au fait qu'ils avaient été invités au repas qu'offrait le père abbé à l'occasion de la fête. Lui n'avait pas été convié. Et il tentait de se raisonner.

Qu'avait-il donc espéré en rentrant ainsi par surprise après cinq années d'absence ? Le roi anglais avait la rancune tenace et il régnait ici en maître. Guy demeurait un ennemi, hors-la-loi dont la fréquentation ne pouvait valoir que des ennuis à ceux qui s'y risqueraient. Le seul à l'avoir invité – n'était-ce pas révélateur ? – était Hugues de Merle, un seigneur brigand se moquant de Dieu comme du diable !

Tout en jetant un regard distrait sur les étals, Guy se disait que Pons, son écuyer, avait plus de sagesse que lui. Il avait tout tenté pour le dissuader de rentrer à Servières et il avait raison. Ce retour inopiné était pure folie.

Pour revoir quoi ?

Le château fort où il avait grandi, devenu, en si peu d'années, cette ruine, murs éboulés, donjon rasé, partout des ronces, la mauvaise herbe et le lierre, ce bois de mort ?

Ses terres et ses forêts, confisquées, données à son beau cousin Raymond de Pleaux, en récompense du bon choix que son père avait fait, celui du vainqueur de cette guerre, le roi Henri d'Angleterre ?

Pour avoir voulu rester fidèle au roi de France, Philippe, son père à lui, Guy de Servières avait tout perdu, même la vie.

C'était la dure loi des temps où l'on vivait. Il n'y avait qu'à s'incliner et s'en aller combattre ailleurs, pour d'autres rois. Ce qu'il avait fait.

Et à présent, par ce temps froid, sous ce ciel gris qui était pourtant celui de son pays, il se prenait à regretter les collines rousses d'Aragon, les vents brûlants des étés de Castille levant des terres desséchées des tourbillons de poussière ocre, et Tolède, et Saragosse qu'il avait aidé le roi Sanche à reconquérir sur les Maures... Il était d'autres croisades que celles de Jérusalem...

La pensée de l'Espagne le ramena au réel et à cette fille qui accompagnait l'acrobate-troubadour qu'il s'était promis d'interroger avant le père abbé.

Il chercha leur baraque dans la partie de la foire réservée aux amuseurs publics, bonimenteurs, faiseurs de tours. Elle n'y était pas mais plus au centre, près de la boutique du seul changeur qui avait fait le voyage alors que, d'ordinaire, il en venait cinq ou six et parfois même des Lombards.

Guy s'avança. Jean l'Oiselet était en train de chanter en pinçant les cordes de sa vielle. Une vielle comme en avaient les chanteurs maures de Cordoue et qu'ils appelaient « guitare ». Mais ce qu'il chantait était occitan. Une plainte amoureuse déjà célèbre dans tout le Sud. Elle parlait d'amour lointain et de bonheur perdu, de tristesse et d'hiver gelé...

Parmi les gens qui écoutaient, il y eut des murmures.

— Eh, compère, cria quelqu'un, ne sais-tu rien de plus gai ? Il fait assez froid sans nous parler de gel !

Chante-nous quelque pastourelle ou mime-nous tes chants d'oiseaux !

Jean l'Oiselet parut sortir d'un songe. Comme lorsqu'on éveille trop brusquement un enfant, ses yeux clairs papillotèrent.

— Ou alors, fit une autre voix, fais danser la fille au tambourin. Elle est gaie, elle, et sa danse aussi !

Mais la fille n'était pas là. Jean l'Oiselet posa sa guitare et commença à imiter le chant du loriot. Guy n'écoutait plus. Où pouvait bien être la compagne de l'Oiselet, celle qu'il avait appelée Flor ? Elle intriguait Guy avec, en plus, ce rappel de l'Espagne... Il eut envie de l'interroger, elle, au sujet du pèlerin assassiné. Pourquoi avait-elle fait taire l'Oiselet ? Et que s'apprêtait-il à révéler ?

Il fit le tour de la baraque sans la trouver. Ce fut alors qu'il allait renoncer à la chercher qu'il l'aperçut, assez loin, près de la rivière qui bordait les champs de l'abbaye.

Que faisait-elle là, solitaire, à fixer l'eau trouble presque jaune comme souvent après de grosses pluies ?

Guy s'approcha. Elle ne pouvait pas ne pas l'avoir vu mais elle ne bougea pas. Ce qui l'agaça. Il s'efforça, pourtant, de dire avec bonhomie :

— Si tu viens d'Espagne, ce pays doit te sembler, comme à moi, triste et gris.

— Il l'est, fit-elle sans même tourner les yeux vers lui.

— Le soleil ne te manque pas ?

— Le soleil n'est pas tout.

Et elle repoussa une mèche de cheveux qui lui barrait la joue.

L'agacement de Guy croissait. Il décida d'attaquer de front :

— Pourquoi as-tu empêché ton compagnon de répondre au père abbé, ce matin ?

Elle se retourna cette fois si vivement que Guy en fut surpris :

— Si tu l'as remarqué, c'est que tu as de bons yeux ! Mais ils étaient plus gais, ce matin, aussi gais que les baies du houx piqué à ton chapeau. Le rouge est une belle couleur.

La remarque le déconcerta. Quelle étrange fille était-ce là ?

— Tu n'as pas répondu à ma question.

Elle haussa les épaules :

— Et toi, pourquoi t'occupes-tu de ce meurtre ? Tu es d'ici sans l'être. J'ai entendu ce que les gens disaient sur toi, ce matin, tu n'as plus rien et tu repartiras demain te battre, en Espagne ou ailleurs. Laisse donc le moine et le seigneur à la plume de paon se débattre avec cette affaire !

— Tu ne m'as toujours pas répondu. Pourquoi l'as-tu fait taire ?

Elle dit avec une violence soudaine :

— Ne l'as-tu pas vu ? Il est comme un enfant, naïf, confiant. Il ne perçoit pas le mal. Moi, oui. Je l'ai assez souvent croisé pour le reconnaître même chez un homme de Dieu, même chez un seigneur. Qu'ils cherchent tout seuls celui qui a tué le pèlerin et qu'ils nous laissent en paix !

— En ce cas, tu aurais dû l'empêcher de dire qu'il connaissait le mort !

— Je n'en ai pas eu le temps ! Il était tout excité, je le répète, comme un enfant ! Il n'a pas deux sous de malice et il est bon.

Sa voix était devenue presque tendre et il y avait une lumière dans ses yeux.

— Comment fera-t-il demain quand le père abbé l'interrogera de nouveau ?

Elle se mit à rire :

— Il ne l'interrogera pas ! Demain, nous serons partis.

— Pourquoi me le dire ?

— Parce que je sais que tu ne nous trahiras pas. Où combattais-tu en Espagne ? Avec le roi Alphonse, en Castille, ou en Aragon avec le roi Sanche ?

— J'ai combattu avec les deux.

— Contre les Maures. Mon peuple.

Elle haussa de nouveau les épaules.

— Il fait froid près de cette rivière. Marchons un peu.

Il la suivit.

Thomas le Rouge, en sortant de l'office religieux, ne s'était pas rendu à la foire. Il était trop pressé de récupérer le bâton de pèlerin qu'il avait caché la veille au soir. Maintenant que le meurtre était découvert, il ne fallait pas risquer d'y être mêlé. On connaissait la justice des seigneurs : plus prompte à frapper le faible que le fort et de quelle façon ! La main coupée pour deux poignées de grain volées !

Ce matin, tout le bourg était à la foire. Il ne serait ni suivi ni épié. Retrouver l'endroit était pour lui un jeu d'enfant. Il connaissait ce morceau de forêt comme sa poche, il y braconnait assez.

Parvenu au tas de bois mort qui dissimulait le bâton, il écarta les branches et le prit. Puis il l'examina. Avec satisfaction. C'était un bon bâton, de cornouiller sans doute ou de frêne, de ces bois blancs au grain serré, légers et résistants, lents à pourrir et tenant bien en main. Restait que sa longueur le trahissait, c'était un bâton de pèlerin : il suffisait de le couper.

Il l'examina de nouveau et fronça le nez : qu'y avait-il là, au bout ? Un rond de cire ? Un nœud du bois consolidé pour l'empêcher de devenir trou ? Ou au contraire un trou creusé exprès ? Une cache ?

L'excitation le gagnait. Après tout, ce pèlerin, pour qu'on l'ait assassiné, il y avait une raison. Il tira de dessous son surcot la lame ébréchée de son couteau et commença à gratter. L'enduit s'écailla assez vite, laissant voir, comme il l'espérait, une petite cavité creusée dans le bois. Le cœur battant, il en tira, hélas, non la pièce d'or dont déjà il rêvait, mais un anneau d'argent assez large. Il faillit le lâcher de stupeur en voyant les trois merlettes gravées dessus. Le blason des seigneurs de Merle ! Le blason du terrible messire Hugues ! Qui ne le connaissait dans le pays ? Il l'exhibait assez fièrement sur la bannière flottant au sommet du donjon de son repaire de brigands, là-haut sur le rocher de Merle !

La peur saisit Thomas le Rouge. Il tournait et retournait l'anneau, hésitant à le jeter, là, dans ce bois et le bâton avec, et qu'on n'en parle plus ! Il vit qu'à l'intérieur de l'anneau un mot était gravé, court. Quel mot ? Thomas ne savait pas lire.

Curieusement, ce fut ce mot dont le sens lui échappait qui le décida à garder l'anneau. Et du coup, le bâton aussi.

Il rentra chez lui en courant presque. Il habitait seul, sur un ancien essart[1] abandonné, en lisière de forêt, une cabane à l'unique porte donnant sur l'unique pièce. Point de cheminée. Le feu, pour sa cuisine, il le faisait dehors. Pareillement pour se chauffer, même s'il gelait à pierre fendre. Dedans, il accumulait, sur un lit de fougères séchées, les peaux des putois, des belettes, des lièvres qu'il braconnait. Tout cela puant

1. Essart : terre défrichée.

le mal tanné et la sauvagine, la pomme surie et le moisi. Thomas ne le sentait plus. Il avait l'habitude !

Il chercha où cacher l'anneau, l'enfouit à même le sol qui était en terre battue et posa dessus, pour plus de sûreté, l'unique pot où il cuisait sa soupe. Il mit le bâton dans un coin, tira sa porte plus à cause des bêtes que des gens et s'en alla à la foire voir ce que l'on disait du meurtre du pèlerin.

C'était le début de l'après-midi.

La nuit tombait quand finirent les vêpres solennelles dites en l'abbaye pour la fête de Saint-Martin. Le champ de foire s'était à nouveau vidé au profit de l'église, car à la piété se joignait le désir de ne pas manquer la beauté du spectacle.

Les ors brillaient sur les chasubles et sur les encensoirs, à la lueur de cent cierges de cire fine, et la châsse où reposait en relique un morceau du manteau du saint éblouissait du feu des pierreries.

Au contraire de l'austérité nouvellement prêchée par Bernard de Clairvaux, on suivait encore à Hautefage la règle de Cluny, et la splendeur des lieux se devait de témoigner de la splendeur de Dieu.

Les moines, en revanche, vivaient pauvrement, et le père abbé montrait une austérité de mœurs qui contrastait avec la magnificence des cérémonies. Ainsi, le repas qu'il avait offert avait été bref et Raymond de

Pleaux l'avait quitté assez vite, appelé par son intendant pour régler un litige.

Cette absence, jointe à celle de Guy, disparu depuis le matin, avait rendu pesantes, pour Agnès de Montal, les heures de l'après-midi. Encore à présent, en sortant des vêpres, Spérie à ses côtés, elle éprouvait une tristesse diffuse qu'elle ne pouvait s'expliquer.

Tout en se dirigeant vers le logis que le père abbé avait mis à sa disposition pour le temps des fêtes, elle demanda soudain :

— Spérie, trouves-tu chrétien que Guy soit traité comme un réprouvé ? Est-ce une lèpre de ne pas servir le roi anglais ?

— Une sorte de lèpre, oui, et vous le savez bien, fit avec rudesse Spérie. Pourquoi est-il rentré ? Il ne recevra l'hospitalité de personne. Pas même du père abbé, vous l'avez vu !

— Je me demande où il loge. Son château est en ruine.

— Où je loge ? fit derrière elle la voix amusée de Guy de Servières. As-tu donc oublié, ma mie Agnès, les huttes de branchage que je te construisais ?

Elle se retourna vivement :

— Ce n'est pas bien de m'espionner ! Depuis quand nous suis-tu ?

— Depuis que je t'ai aperçue sortant de l'église. Seule pour une fois. Rare merveille !

— Et moi, alors ? protesta Spérie. Suis-je devenue une ombre que vous ne me voyez plus, messire Guy ?

Il se mit à rire :

— Spérie, que tu as peu changé ! Tu es bien la seule !

— Puisque vous nous écoutiez, ce qui n'est pas, messire, le fait d'un chevalier, vous savez ce que je pense de votre retour.

— Oui. Qu'il est insensé. Pons le dit aussi. Mais pour ce qui est du père abbé, tu t'es trompée. S'il ne m'a pas invité au repas, il m'offre le gîte, du moins pour cette nuit. Tu vois, ma mie, tu n'auras pas à t'inquiéter. Je ne coucherai pas dans une cabane de branches d'où je pourrais, comme les étés d'autrefois, voir les étoiles... s'il y en avait...

— Tu te souviens..., commença-t-elle, puis elle s'arrêta brusquement tandis que résonnait la voix forte du prévôt Guillaume Taillefer.

— Non, non et non ! criait-il avec colère. Écartez cette fille ! Je ne veux plus la voir ni l'entendre ! Le garçon qu'elle cherche se retrouvera demain achevant de cuver son vin sous un banc de taverne ! Assez de tapage !

À la lueur des torches que portaient les hommes du prévôt, Guy aperçut Flor. Elle aussi le vit et courut à lui :

— Il a disparu ! Quand je suis rentrée, la baraque était vide. Depuis une heure, je le cherche partout. J'ai été voir dans les deux tavernes du bourg, il n'y était pas. J'ai peur pour lui.

— N'est-ce pas de votre ressort, prévôt, de le chercher ? demanda Guy avec un début de colère.

— Et je le chercherai, messire de Servières, demain matin, s'il est encore disparu, ce dont je doute fortement. Je vous souhaite le bonsoir.

Il s'en alla avec ses hommes.

— C'est ma faute, dit Flor. Je n'aurais pas dû le laisser seul. J'aurais dû me méfier que celui qui a tué le pèlerin le poursuivrait. Il a trop parlé, mon pauvre Oiselet !

— Rien n'est encore perdu, dit Guy avec autorité. Je vais continuer les recherches avec toi.

Saluant Agnès et Spérie, il s'en alla avec Flor, les laissant abasourdies.

Agnès se ressaisit la première :

— Qui est cette femme que Guy semble connaître ?

— Vous savez bien, la fille d'Espagne, la danseuse au tambourin qui est venue, hier soir, divertir les gens de l'hôtellerie avec Jean l'Oiselet. Celui-là, il imite le chant des oiseaux, à croire qu'il en est un !

— Mais alors, s'écria Agnès, c'est lui qui a déclaré ce matin connaître le pèlerin mort ! Crois-tu qu'elle dise vrai et qu'on aura tenté de le tuer ? Oh, Spérie, ce serait trop horrible ! Tu te souviens comme ses yeux étaient clairs ?

— Trop clairs sans doute pour être honnêtes ! Et cette fille, de quelle Espagne vient-elle ? De terre chrétienne ou de chez les Maures païens ? Allez savoir !

— Au repas chez le père abbé, dit lentement Agnès, quelqu'un prétendait que Guy ne revenait pas de Jérusalem mais d'Espagne. Crois-tu qu'il ait pu la connaître là-bas ?

Spérie lui jeta un regard aigu et répliqua vertement :

— Quand cela serait, quelle importance ? Demain ou dans une semaine, messire Guy s'en ira comme il est venu, en chevalier errant qu'il est condamné à être le restant de ses jours. Ne pensez donc pas tant à lui. Messire Raymond pourrait en concevoir du dépit et c'est lui que vous épousez !

Agnès baissa la tête et se tut.

3

Un nouveau meurtre

Frère Jérôme entrouvrit la poterne pour laisser passer les deux moines qui avaient la charge de la laiterie dont les bâtiments s'élevaient sur l'autre bord de la rivière.

Tandis qu'ils s'éloignaient, il en profita pour jeter un coup d'œil sur la première enceinte. Tout semblait encore y dormir, tant à l'hôtellerie qu'aux différents logis. Il est vrai que le jour se levait juste, moins gris que la veille mais plus froid.

— Le vent a tourné, constata frère Jérôme, il nous vient à présent de l'est. Il a dû geler cette nuit.

Il s'apprêtait à refermer la poterne lorsqu'il entendit le cri. Un cri de femme aigu suivi du claquement précipité de sabots sur les degrés de bois menant au premier logis de l'enceinte où le prévôt habitait pour le temps de la foire.

— Vite, cria la femme, venez vite, maître Taillefer, un homme s'est noyé.

Elle tapait la porte à coups redoublés avec son sabot.

Au bruit qu'elle faisait, toute l'hôtellerie s'éveilla. Il se fit, en quelques minutes, un rassemblement de gens mal réveillés, à demi vêtus, d'où fusaient exclamations et interrogations. Certains déjà anxieux à l'idée de quelque bande de mercenaires tentés par les trésors de l'abbaye.

Frère Jérôme lui-même abandonnant sa porterie se précipita. Il reconnut tout de suite la femme. Hermeline, pauvre entre les pauvres, faisait les besognes jugées trop dures par les autres, comme laver le linge en tous temps même quand l'eau de la rivière, rien que d'y tremper la main, vous refroidissait jusqu'aux os.

Elle l'expliquait à présent au prévôt surgi au seuil de sa porte :

— Je descendais vers la rivière avec ma charge de linge quand... sainte Vierge Mère, quelle peur j'en ai eue ! À vous tourner le sang rien que de voir ses yeux grands ouverts, des yeux que j'ai bien reconnus... Hier, à la foire.

— Écoutez, bonne femme, coupa le prévôt impatienté, je ne comprends rien à votre conte. Expliquez-vous plus clairement. De qui parlez-vous ?

— Du noyé, le garçon qui imitait les chants d'oiseaux à la foire. Il est là en bas, dans l'anse de la rivière où le courant l'aura porté et où je vais toujours pour laver mon linge car l'eau y est moins profonde et...

— Suffit, coupa de nouveau Guillaume Taillefer. J'y vais.

Il appela deux de ses hommes et partit.

Frère Jérôme était consterné : encore une mort violente, même si elle semblait, dans ce cas, accidentelle ! Il aperçut Guy de Servières qui se dirigeait lui aussi vers la rivière et l'arrêta :

— Ah, messire, vous avez entendu ? Pauvre garçon ! Quel terrible accident ! Comment a-t-il pu se noyer ?

— Pas tout seul, je le crains.

— Voulez-vous dire par là que quelqu'un...

— L'y a aidé, oui, j'ai tout lieu de le croire.

— Deux meurtres en si peu de temps ! Et encore une fois sur les terres de l'abbaye ! Notre père abbé Arnould qui est déjà si fatigué... Quelle responsabilité pour lui ! Je cours le prévenir.

Guy, tout en se hâtant vers la rivière, songeait à Flor. Était-elle déjà au courant ? Et comment réagirait-elle ? Il ne s'attendait pas à ce qu'il vit en arrivant. Elle était là, debout près du corps, raide, droite, sans crier ni pleurer, les traits rigides, comme figés, les yeux fixant non le mort mais on ne savait quoi, au loin. C'était plus impressionnant que des clameurs ou des sanglots. Le prévôt lui-même en parut, un bref instant, embarrassé puis il grogna :

— C'est bien ce que je pensais ! À trop boire on perd le sens et on finit dans la rivière. Il n'est pas le premier. Et l'affaire me semble claire.

— Pas à moi, prévôt.

Guillaume Taillefer sursauta et toisa Guy :

— Et pour quelle raison, messire de Servières ? Me ferez-vous l'honneur de me l'expliquer ?

Le ton était résolument insolent.

— Comme je n'ai pas envie de me répéter, vous trouverez bon, prévôt, que je m'explique quand vous aurez porté l'affaire devant le père abbé car elle est de son seul ressort.

Le prévôt retint un geste de colère mais l'argument était imparable. La noyade s'était produite sur le domaine de l'abbaye. C'est à Arnould qu'il devait en premier rendre compte. Il ordonna à ses hommes :

— Emportez le corps au monastère.

Puis se tournant vers Flor, toujours muette et comme ailleurs :

— Toi, suis ! Tu entends ce que je te dis ?

Elle hocha la tête en guise de réponse et le suivit. Guy de Servières les accompagna.

Le père abbé Arnould, averti par frère Jérôme, les attendait, installé dans la salle capitulaire de l'abbaye, sur le siège surélevé, insigne de sa dignité.

Il était très pâle, avec des traits tirés et l'air, de fait, très fatigué. À la vue de Guy de Servières escortant le prévôt et Flor, il fronça légèrement le sourcil mais ne posa pas de question et se borna à dire :

— Je vous écoute, messire prévôt.

Guillaume Taillefer répéta ce qu'il avait déjà dit au bord de la rivière.

— Donc, à vos yeux, dit Arnould après un silence, il s'agirait d'un simple accident, ce garçon avait bu, trop, et il s'est noyé. Ce ne peut être à l'endroit où on a trouvé son corps. Dans cette anse de la rivière, l'eau est peu profonde et, d'après ce que vous dites, le corps flottait, le visage n'était pas dans l'eau ?

— Non, dit le prévôt, il était couché sur le dos. Mais il se sera noyé plus loin et le courant l'a entraîné. Il y a là des remous qui l'ont poussé dans l'anse.

— En somme, sans ces remous, il y avait peu de chance qu'on retrouve le corps. En cette saison le courant est fort et l'aurait entraîné loin d'ici.

— Sans doute, dit le prévôt qui ne comprenait pas où voulait en venir le père abbé. Noyé ici ou là, quelle importance ? Quand on se noie, choisit-on un endroit plutôt qu'un autre, surtout quand on est ivre !

Guy de Servières n'était pas intervenu jusque-là.

Arnould lui demanda, après un nouveau silence :

— Messire de Servières, puis-je savoir pour quel motif vous êtes ici ? Qu'avez-vous à voir dans cette affaire ? Qu'elle concerne cette fille, je le conçois, mais vous ?

— Seigneur abbé, en tant que chevalier, je ne peux accepter la déloyauté, quelle que soit la forme qu'elle prenne. Or, ici, elle revêt la pire forme : déguiser, en simple accident, un meurtre.

D'un geste, le père abbé imposa silence à Guillaume Taillefer qui tentait de protester :

— Tout à l'heure, messire prévôt, tout à l'heure ! Vous portez là une grave accusation, Guy de Servières, et qui mérite un supplément d'information. Un meurtre ? Pourquoi ?

Guy se tourna vers Flor :

— Elle vous le dira comme moi. On a tué Jean l'Oiselet pour l'empêcher de parler. Le meurtrier du pèlerin craignait ce qu'il pouvait vous révéler. Souvenez-vous, père abbé, vous avez annoncé tout haut, hier matin, votre intention de l'interroger davantage et vous avez même ajouté : « Ce garçon a encore beaucoup à nous apprendre. » Ce faisant, vous l'avez condamné à mort, je le crains.

Cette fois, le père abbé sursauta :

— Le meurtrier se trouvait donc dans l'assistance ! Et les deux morts seraient liées...

Guillaume Taillefer en avait assez entendu :

— Seigneur abbé, fit-il d'une voix forte, tout cela n'est que vue de l'esprit et imagination ! Quelle preuve a messire de Servières ? Aucune ! Je maintiens l'accident, moi. D'ailleurs, vous le voyez, la fille n'accuse pas. Elle reste muette. C'est qu'elle ne croit pas au meurtre !

— Qu'as-tu à répondre à cela ? demanda le père abbé.

Elle le regarda :

— Qu'il est mort et que rien ni personne ne me le rendra. Votre justice vient trop tard. Elle m'importe peu.

— Voyez, seigneur abbé, fit le prévôt outré, sur quel ton elle ose vous parler ! Une traînée, une rien qui vaille...

— Taisez-vous, prévôt, ordonna sèchement Arnould. Je ne permets pas qu'en ma présence on insulte une créature de Dieu. Le Tout-Puissant nous fit à son image et si le mal nous a défigurés, tous autant que nous sommes, il envoya son Divin Fils nous racheter. Messire de Servières, le prévôt a raison ; quelle preuve pouvez-vous nous donner de ce que vous avancez ? Aucune. Et qui accuser de ce double meurtre ? Une ombre. Je penche assez pour votre hypothèse mais tant qu'elle restera simple hypothèse, je ne peux rien. De plus, je trouve étrange qu'un criminel qui a osé traîner le corps de sa première victime jusqu'à la porte de cette abbaye un matin de grande fête, pour que tous puissent voir son forfait, tue une seconde fois en prenant soin de déguiser ce second crime en accident. Il y a là comme une incohérence que je ne m'explique pas.

— Moi non plus. C'est un fou, dit le prévôt.

— Qui de nous ne l'est pas un peu, fou ? fit d'un ton songeur Guy de Servières.

Arnould le regarda et il baissa les yeux.

À ce moment, frère Jérôme parut sur le seuil de la salle, accompagnant un homme bien vêtu, de petite taille, à la figure ouverte, à l'œil vif.

— Père abbé, cet homme que voici dit avoir à vous faire d'importantes révélations. (Et il ajouta d'un air faussement contrit :) C'est la raison pour laquelle j'ai cru pouvoir abandonner quelques instants la porterie, sans votre permission.

Le père abbé, pour la première fois de la matinée, eut envie de sourire et se détendit un peu. La présence inopinée de frère Jérôme apportait comme une bouffée d'air salubre dans le marécage où ce second meurtre le faisait s'enfoncer. Il le vit avec regret repartir pour la porterie et se tourna vers l'inconnu :

— Je t'écoute.

L'homme s'inclina avec aisance :

— Je suis, messire abbé, Garin de Toulouse, changeur attitré de plusieurs gros marchands et seigneurs d'importance tant en terre aquitaine qu'en pays toulousain et même parfois en Espagne. Je suis venu à cette foire pour y traiter quelques affaires – trop peu, hélas –, mais le malheur des temps... bref, mon propos n'est pas là. Le hasard m'a fait voisin d'échoppe du jongleur troubadour et de sa compagne.

Il jeta un regard à Flor qui, depuis son entrée dans la salle, ne le quittait pas des yeux.

— Or, il se trouve qu'apprenant, tout à l'heure, la triste fin de ce pauvre garçon je me suis souvenu d'un point qui m'avait paru, à son heure, sans importance. Hier, peu avant vêpres mais alors qu'il faisait encore assez jour, quelqu'un que je n'ai pu voir – homme ou femme je ne sais – est venu appeler l'Oiselet. Ce qu'ils se sont dit, je l'ignore et je n'y aurais point prêté attention si, peu après, le garçon ne m'avait crié : « Voisin, voulez-vous avoir l'œil sur mon étal, le temps que je règle une affaire avec Flor. » Sans même me laisser le temps de dire oui, le voilà qui part en courant du côté de la rivière. Comme vous savez, je ne l'ai plus revu... pour cause... On m'a rapporté qu'il se serait noyé pour avoir trop bu. Mais ce dont je peux témoigner, messire abbé, c'est qu'en me quittant il était à jeun !

— Il a eu le temps de se rattraper par la suite, grogna le prévôt.

— Vous ne pouvez pas dire, maître Garin, demanda le père abbé, s'il suivait l'homme ou la femme venu lui parler ?

— Cela non, mais c'est à la suite de cette intervention qu'il est parti. Sans doute possible. Et précipitamment.

— Quelqu'un s'est servi de moi pour l'attirer dans un guet-apens, s'écria Flor.

— C'est clair, dit Guy révolté.

— Cela reste à voir, dit le prévôt sceptique.

— Mais je n'avais aucune affaire à régler avec lui, je le sais bien, moi !

— Tu le dis, mais peut-on la croire, messire abbé ? Il me revient qu'un de mes sergents m'a affirmé l'avoir vue, hier, justement vers le temps de vêpres, au bord de cette rivière en compagnie d'un homme qui n'était pas l'Oiselet. De loin, il n'a pu voir son visage mais d'après la stature, il est formel, ce n'était pas le jongleur.

— Que réponds-tu à cela ? demanda Arnould à Flor.

— Qu'il est vrai qu'hier, à l'heure qu'il dit, je parlais avec un homme qui n'était pas l'Oiselet.

— Voyez, messire abbé. Elle l'avoue. Et la suite, ne la comprenez-vous pas ? En parlant d'accident, oui, je me suis trompé, je l'admets. Il y a bien eu crime mais pas celui qu'elle veut nous faire croire, pas de guet-apens, pas d'autre piège, que la jalousie. Oui, seigneur abbé, la jalousie de l'Oiselet. Quelqu'un vient l'avertir que Flor, sa compagne, est près de la rivière avec un autre homme, qu'elle est en train de le mignoter ou pire. Il y court. Les deux hommes se battent. L'Oiselet est tué. On jette son corps à l'eau. Ni vu ni connu. Sans les remous qu'ils ignorent, le corps ne serait jamais retrouvé. Reste à nous jouer la comédie de la recherche.

Guy avait écouté le prévôt un sourire moqueur aux lèvres. Le changeur Garin l'avait remarqué et attendait la suite avec intérêt.

— Seigneur abbé, dit Guy, le malheur, pour la belle histoire que vient d'imaginer maître Taillefer, c'est que cet homme qui se trouvait au bord de la rivière, hier, avec Flor, n'était autre que moi. Voilà qui vous surprend, prévôt ? Nous parlions d'Espagne. J'en viens. J'y combattais les Maures en Aragon, aux côtés du roi Sanche.

— Il est vrai, dit le changeur Garin, que les prouesses de messire de Servières lui ont acquis outre-monts un grand renom. Et jusqu'en Castille où l'on parle de lui avec admiration.

Et il jetait un œil en coin vers le prévôt dont la mine dépitée l'amusait.

L'abbé Arnould gardait le silence. Il semblait soudain plus voûté, comme sous le poids d'un trop lourd fardeau et faisait tourner machinalement entre ses doigts la grande croix pectorale ornée d'améthystes, insigne de sa dignité.

Un bruit de pas précipités résonna soudain dans la galerie du cloître attenant à la salle capitulaire et Raymond de Pleaux apparut. Il était vêtu plus simplement que la veille d'une tenue de chasse, justaucorps en peau de cerf, longues bottes et mitaines en cuir. Il paraissait hors d'haleine, avait encore un fouet en main et, s'inclinant devant Arnould :

— On me parle d'un second meurtre ? Est-ce vrai ?

Puis, jetant un regard circulaire :

— Guy ! Que fais-tu là ?

— Je vous expliquerai, messire de Pleaux, dit Arnould en se redressant, mais auparavant retirez-vous tous. J'entends toutefois que vous restiez à ma disposition, tant que ce crime, si crime il y a, n'a pas été élucidé. Cet ordre vaut aussi pour vous, prévôt. Continuez, je vous prie, votre enquête. Vous, messire de Servières, restez.

4

Tumulte de rue

L a nouvelle de la mort de Jean l'Oiselet avait déjà fait le tour des deux enceintes, du champ de foire et du bourg, grossie de cent commérages et déjà déformée.

Lorsque Flor, quittant l'abbaye, regagna l'emplacement de la baraque qu'elle avait partagée avec l'Oiselet, il y eut, sur son passage, des murmures. Elle n'y prit pas garde, enfermée dans son chagrin et dans son désespoir. La mort du jongleur troubadour la laissait seule, en pays où tout lui était étranger, voire hostile – elle le sentait.

Que pouvait-elle faire désormais ? Danser ? Où ? Comment ? Sans protection, il n'y fallait pas songer. L'époque était dure pour tous, impitoyable aux faibles, aux isolés, aux solitaires. Mendier... Se joindre à une bande de gueux, devenir ribaude...

Parvenue à leur baraque, elle commença à réunir leurs quatre hardes, les balles de couleurs diverses avec lesquelles l'Oiselet jonglait, la besace en peau de cerf qu'ils avaient achetée ensemble à la dernière foire, celle d'après vendanges en pays toulousain. Elle caressa de la main la guitare dont plus jamais il ne pincerait les cordes, en tira trois sons tristes et, enfouissant son visage dans sa jupe bariolée, elle se mit à sangloter.

— Ne reste pas ici, fit une voix d'homme.

Elle se redressa vivement, reconnut leur voisin, le changeur. Il avait un visage soucieux, il poursuivit :

— J'ai déjà entendu plusieurs méchants propos à ton sujet. Les gens t'en veulent, les femmes surtout.

— Mais de quoi m'en veulent-elles ? Que leur ai-je fait ?

Il haussa les épaules.

— Tu n'es pas comme eux. Ils le sentent. Que quelqu'un soit différent, moulé d'autre façon, leur est insupportable. Tu devrais le savoir mieux qu'une autre, toi qui es d'Espagne fraîchement reconquise sur les Maures.

— Je l'avais oublié... (elle caressa la guitare) auprès de lui. Il était l'innocence. Et on l'a tué. (Et d'une voix soudain changée, violente :) Mais je le vengerai !

Le changeur secoua la tête :

— Pense plutôt à partir d'ici au plus vite. Avant que les gens ne te fassent un mauvais parti. Tu sais ce que ça veut dire quand ils commencent à parler de sorcière, à évoquer le diable... le bûcher n'est pas loin !

Elle le regarda, l'air soudain effrayé.

— Où puis-je aller, seule ?

Le changeur réfléchit.

— Je pourrais t'aider à regagner l'Espagne. Je dois me rendre à Tolède au printemps. Mais je ne peux quitter la foire avant sa fin. C'est affaire de quatre jours. D'ici là je ne vois qu'un lieu où tu puisses être en sûreté, l'abbaye. Reviens-y au plus vite. Le père abbé est affaibli par l'âge mais il m'a semblé juste et bon. Il ne te refusera pas sa protection. Surtout, ajouta-t-il avec un demi-sourire, si messire de Servières joint sa demande à la tienne.

Elle dit vivement :

— Il n'y a rien que de clair entre messire de Servières et moi. Mais, vous, pourquoi me protégeriez-vous ?

Son visage s'assombrit.

— J'ai mes raisons. Suis mon conseil. Rentre au plus vite à l'abbaye.

Un marchand l'appelait. Il regagna son échoppe. Flor resta un instant songeuse. Puis elle fit un paquet du peu qu'elle possédait et qui tenait dans un grand carré de toile rouge qu'elle noua aux quatre coins. Elle le mit à l'épaule, laissa la besace mais prit la guitare et, tirant le battant de bois qui tant bien que mal fermait l'entrée de la baraque, elle se dirigea vers l'abbaye.

Elle n'avait pas fait cent pas que déjà un groupe de femmes se mit à la suivre, lui lançant menaces et quolibets :

— Voyez-la, la tueuse de pauvre gars ! L'ensor-
celeuse !

— Dis, quand tu danses, femelle, c'est Satan qui
conduit le bal ?

— Tous, elle les envoûte, la goule et après suce
leur sang !

Avec le mot « Sorcière », la première pierre vola.
Flor se mit à courir mais un autre groupe lui coupait
la route. Elle se vit perdue et, serrant contre elle la guitare, comme une dérisoire protection, elle leur fit face.

C'est à ce moment-là qu'Agnès de Montal qui venait
d'acheter des gants dans une des boutiques de la foire,
en compagnie de Spérie, l'aperçut.

— Mais c'est cette fille espagnole que connaît Guy ?

Et avant que la servante ait pu la retenir, elle écartait
de son petit poing les femmes vociférant, en criant :

— Êtes-vous folles ? Voulez-vous encourir la colère
du vicomte de Pleaux ?

Les femmes la regardaient avec stupeur.

Les écartant toujours, Agnès continuait de leur
crier :

— Oui, messire Raymond. Cette femme est sa protégée. Je le sais mieux que quiconque, moi qui, pour
Pâques, serai son épouse et votre suzeraine !

Il y avait tant d'autorité dans sa voix, de colère dans
ses yeux que les moins hardies des femmes commencèrent à reculer. Quelques hommes qui regardaient
en tirèrent d'autres en arrière, leur murmurant de

prendre garde. La violence de messire Raymond était connue et redoutée.

Agnès saisit Flor par la main et la tira hors du dernier cercle d'irréductibles :

— Venez ! Hâtons-nous ! murmura-t-elle.

Spérie qui était restée plantée, bouche bée, les suivit. Elle ne retrouva ses esprits – et son habituel franc-parler – qu'une fois toutes trois rentrées au logis.

— Vierge Mère, j'ai cru tout de bon tomber ! Mais qu'est-ce qui vous a pris d'aller vous mêler de ce qui ne vous regardait pas ? Risquer de vous faire écharper par ces furies ! Et qu'est-ce que j'aurais dit, moi, au seigneur de Pleaux, pour expliquer votre conduite ? Qu'est-ce que vous allez lui dire, d'ailleurs, pour expliquer votre geste insensé ? Car soyez sûre qu'il lui sera fait rapport – Taillefer a toujours l'œil où il ne faut pas ! – et que vous allez le voir paraître dare-dare... Ah, le joli moment que ce sera !

— Tais-toi un peu, Spérie. Aide-la plutôt à réparer le désordre de son surcot. Ces femmes le lui ont à demi arraché. Que tout cela était laid à entendre et à voir ! Une sorcière ! Est-ce que Guy protégerait une sorcière ?

— Ah, c'est donc cela ! Vous montrez le bout de l'oreille, ma mie ! Ce sire de Servières ne protège sans doute pas les sorcières mais il va nous valoir un joli sabbat tout à l'heure ! (Elle se tourna vers Flor.) Et toi, ça te brûlerait la bouche de dire merci ?

Flor regardait Agnès et dit lentement :

— Elle a des yeux clairs et innocents. Comme lui.

— Messire de Servières, des yeux innocents ! Ah, oui !

— Mais non, coupa Agnès impatientée. Elle ne parle pas de Guy mais de l'Oiselet, le jongleur. Tu ne comprends rien ! (Et avec douceur :) Moi aussi, ils m'avaient frappée, ses yeux.

Spérie leva les siens vers le ciel :

— Le monde devient fou et tout tourne à l'envers !

Et comme on frappait violemment à la porte :

— Là, qu'est-ce que je disais ? Rien qu'à sa façon de frapper, messire Raymond doit être dans un bel état ! Apprêtons-nous au pire !

Elle fit un signe de croix : sainte Spérie, ma patronne, protégez-moi ! – et elle courut ouvrir.

Raymond de Pleaux était sorti mécontent de son entrevue avec le père abbé, encore plus de le voir soutenir si visiblement son cousin Guy contre le prévôt, un homme nommé par lui. Il n'avait pas fait trois pas hors de la salle capitulaire que ce dernier accourait lui raconter l'incident du champ de foire. Il en resta sans voix. Agnès, si timide, si douce, l'agnelle parfaite à laquelle il ne prêtait pas plus d'attention qu'à une averse légère rafraîchissant un jour d'été, se révélait soudain tellement différente que d'abord il ne le crut pas. Devant les précisions qu'apportait le prévôt, il lui fallut se rendre à l'évidence. La colère le gagna et il partit à grands pas vers le logis où elle résidait.

Écartant d'un revers de main Spérie, il entra en trombe dans la pièce où Flor, aidée d'Agnès, achevait de réajuster sa chemise.

— J'en apprends de belles ! Grand merci du souci que vous prenez de mon honneur ! Ma protégée ! Cette fille !

Il s'arrêta. Quelle était cette Agnès nouvelle qui, loin de baisser les yeux et de trembler, lui faisait face et répliquait d'un ton ferme :

— Votre honneur de chevalier aurait-il gagné à la laisser lapider par des femmes en furie qui ne savaient plus ni ce qu'elles faisaient ni ce qu'elles disaient ? J'ai dit la seule chose qui pouvait la sauver car les gens vous redoutent et craignent vos colères.

— Pas vous ?

— Qui ne les redouterait ? Mais peut-être que je me sens moins seule pour les affronter.

— Ah, je vois ! L'allusion est claire. Mon beau cousin Guy est passé par là ! Depuis son retour je ne vois plus que lui sur mon chemin et comme il est étrange que la mort ait frappé deux fois juste comme il arrive ici ! On pourrait croire qu'il l'attire comme l'attire cette fille, sotte que vous êtes de ne pas le voir. Il est avec elle comme un frelon qu'attire le miel !

Flor dit soudain :

— Les femmes qui m'insultaient tout à l'heure ne s'attaquaient qu'à moi et ne tentaient pas d'en blesser une autre, déloyalement, en se servant de moi !

Raymond la saisit par les cheveux et la gifla :

— Tu regretteras tes paroles, sale putain !

— Ce que vous faites, messire de Pleaux, est indigne d'un chevalier, dit alors Spérie. Dame Alix, votre mère, rougirait de vous voir agir ainsi.

Il lâcha Flor si brusquement qu'elle tomba et, jetant un coup d'œil furieux à Spérie, il partit en claquant violemment la porte.

Agnès, qui était très pâle, dit d'un ton de reproche :

— Tu n'aurais pas dû lui parler de sa mère. Tu sais bien qu'il ne le supporte plus depuis qu'elle est entrée chez les moniales de Reygades, après la mort de Géraud. Il en a eu tant de peine !

— Il l'a dit, fit Spérie en hochant la tête. Mais tout ce qu'un homme dit n'est pas parole d'Évangile. Vous l'apprendrez bientôt !

Flor avait ramassé sa guitare et le ballot de toile rouge noué aux coins.

— Où vas-tu ? demanda Agnès.

— Suivre le conseil du changeur : demander asile au père abbé. Lui, du moins, ne vous le fera pas payer.

Et elle partit.

Thomas le Rouge ronflait, affalé sur le sol gluant de trop de pots renversés en fin de nuit par la bande d'ivrognes qu'il avait suivis jusqu'à cette taverne, la plus misérable du bourg de Miegemont. Elle n'avait même pas d'enseigne. On disait « Chez Anjou » – du seul nom qu'on connaissait de son propriétaire d'après le pays dont il était natif.

S'y réunissaient les plus gueux du bourg plus quelques « mal à faire » en quête de mauvais coups de petite volée et tenus à l'œil par les hommes du prévôt.

Anjou, ce matin-là, était de la plus méchante humeur et souffrait d'un violent mal de dents. Quand il aperçut Thomas, il saisit un bâton et lui en piqua les côtes pour l'éveiller, lui criant :

— Debout ! barrique, outre à vin ! Allez, ouste ! Il fait jour depuis longtemps ! Va finir de cuver ta soûlerie dans ta tanière !

Le Rouge se réveilla, se dressa comme il put sur des jambes encore flageolantes, poussa deux ou trois rots et bâilla.

Anjou le considérait d'un air que, si ahuri soit-il, Thomas jugea étrange. L'œil posé sur vous comme un qui vous guette, à l'affût.

— C'est vrai, finit-il par demander, ce que tu racontais cette nuit, que tu as vu ceux qui ont tué le pèlerin ?

Cela fit à Thomas le même effet qu'un pichet d'eau froide en pleine figure et le dégrisa d'un coup.

— Moi, j'ai dit ça ? Tu as rêvé !

— Comme si ça s'inventait ces choses-là ! Tu l'as dit et répété et tous l'ont entendu. Même que d'après toi, ce seraient des chevaliers !

Thomas le Rouge s'efforçait de rassembler ses idées. Il avait parlé, le mal était fait. Heureusement, il n'avait pas cité de noms ni parlé du bâton. Anjou y aurait fait allusion. Mieux valait quand même s'en aller et vite. Il haussa les épaules :

— Dans ce qu'on dit quand on a bu, il y a plus de faux que de vrai ; je ne m'en souviens même plus, tu vois.

Il ramassa son bonnet tombé à terre, le secoua, le mit sur sa tête et sortit de la taverne en s'efforçant de marcher droit.

Anjou le suivit de l'œil, un moment, puis s'en alla prévenir un homme du prévôt qu'il connaissait. Il n'avait pas envie qu'on le mêlât à cette affaire. Il sentait du vilain dans l'air.

5

L'ACCUSATION DU PRÉVÔT

En début d'après-midi, Arnould était occupé à vérifier les comptes avec le célérier[1] (tâche qui aurait dû incomber au prieur mais il était parti pour la semaine acheter à Aurillac du parchemin pour les copistes de l'abbaye) quand un frère vint lui annoncer que le prévôt voulait le voir.

— Fais-le venir ici. Je marche trop mal aujourd'hui pour me déplacer. Laissez-nous, frère célérier, nous verrons les comptes après.

Le prévôt entra mais il n'était pas seul. Un de ses hommes tenait en laisse, au bout d'une corde qui lui garrottait les poignets, un Thomas le Rouge méconnaissable. Visage tuméfié, œil poché, vêtements déchirés laissant voir sur la peau les zébrures ensanglantées du fouet.

Arnould resta impassible mais son regard s'était durci. Le prévôt affichait un air de triomphe.

---

1. Frère intendant.

— Père abbé, nous tenons les meurtriers du pèlerin et leurs noms vont vous étonner. Rien moins que messire Guy de Servières et son écuyer Pons ! (Il donna un coup de pied à Thomas.) Raconte ce que tu as vu !

— Pas vu qu'ils le tuaient, seigneur abbé, fit Thomas d'une voix rauque d'avoir trop crié sous les coups, vu qu'ils le traînaient, du petit bois où je me tenais...

— À braconner..., coupa le prévôt, sur vos terres.

— Continue, Thomas, dit avec douceur Arnould. Donc tu as vu messire de Servières et son écuyer Pons traîner le corps du pèlerin, l'autre soir, veille de la fête ?

— Comment as-tu su que c'étaient eux ? Il devait faire sombre dans le bois et ils avaient quitté le pays depuis cinq années. Tu les as reconnus ?

— À ce qu'ils disaient. Deux voix. Une disait : « C'est folie, messire Guy. » L'autre répondait : « Aide-moi plutôt, ami Pons. » Ici, seigneur abbé, personne n'a oublié le jeune seigneur de Servières ni son père, décapité sur ordre du roi anglais, ni Pons, l'écuyer.

— Il disait autre chose, dit le prévôt, que tu omets de répéter.

— L'écuyer Pons disait : « Voulez-vous donc que le prévôt vous accuse du crime ? »

— Vous avez entendu, père abbé, est-ce assez clair ?

— Pas à mes yeux.

Le prévôt maîtrisa un geste de colère :

— Seigneur abbé, réfléchissez ! Hier, c'était déjà clair, aujourd'hui, c'est limpide ! Tout se tient. D'où vient le pèlerin tué ? De Compostelle, la coquille à son chapeau en fait foi. D'où vient cette fille avec laquelle messire de Servières vous a dit, ici même, s'entretenir au bord de la rivière ? D'Espagne ? Et messire Guy lui-même, d'où vient-il ? De Saragosse ?

— Qui n'est pas, prévôt, proche de Compostelle. Mais, continue ton raisonnement.

— Il a pu être ici et là, fit le prévôt vexé. Donc, je poursuis. Pour une raison que nous ignorons – mais laissez-moi l'écuyer Pons une heure et il l'avouera ! –, ils décident, le jongleur, la fille et messire Guy de tuer le pèlerin ou bien il y a dispute et l'un d'eux tue le pèlerin.

— Et au lieu de cacher le cadavre, ils l'exhibent ! coupa le père abbé avec ironie. Pour quel motif, selon vous, prévôt ?

— J'y ai réfléchi. Pour mieux jeter le doute ainsi sur tout le monde.

— Il eût été tout de même plus simple de le cacher ?

— Si vous les protégez, fit avec colère Taillefer.

L'abbé se redressa :

— Je ne protège personne ! J'essaie de voir clair. La limpidité de l'affaire, jusqu'à présent, moi, ne me frappe pas, mais poursuivez.

— La suite, je vous l'ai déjà exposée, hier. À propos du meurtre par noyade de l'Oiselet. Jalousie, altercation suivie de la mort du jongleur. Cette fois, ils cachent le corps – du moins ils l'espèrent – sans se méfier des remous de courant car ils ne veulent pas que je risque de lier les deux meurtres. Tout est clair, je le répète, et nous tenons les assassins.

Il y eut un silence puis le père abbé fit remarquer :

— Ne trouvez-vous pas étrange, prévôt, que messire de Servières et cette Flor, s'ils sont coupables de ce dont vous les accusez, ne vous aient pas laissé sur votre idée première, à savoir un simple accident dû à l'ébriété du jongleur. Ce sont eux qui ont insisté, souvenez-vous, pour vous persuader qu'il s'agissait d'un crime.

— Je ne l'ai pas oublié, répliqua Taillefer d'un ton rogue, mais j'y vois une malignité de plus de leur part.

— Vous avez de la chance, car je ne l'y vois pas.

— Dites plutôt, fit avec insolence le prévôt, que vous ne voulez pas l'y voir. Nous verrons ce qu'en pense le vicomte Raymond et ce que répondra messire de Servières quand il l'interrogera !

Arnould rétorqua avec force :

— C'est moi qui l'interrogerai en premier ainsi que cette fille, car vous semblez oublier, prévôt, que les deux crimes se sont passés sur les terres de l'abbaye dont je suis le suzerain. Mais comme je n'ignore pas que le droit de haute justice appartient en dernier ressort à messire de Pleaux, cet interrogatoire se déroulera en sa présence. Envoyez un de vos hommes le prévenir que je l'attends.

Thomas le Rouge était resté tout le temps dans son coin sans oser bouger. Quand il vit le prévôt sur le point de quitter la salle en le traînant après lui, il se jeta aux pieds de l'abbé :

— Pitié ! J'ai dit la vérité, j'ai dit tout ce que je savais mais ils ne veulent pas me croire. Les hommes du prévôt vont me brûler les pieds, je ne sais rien de plus, empêchez-les ; seigneur abbé ! Par pitié !

— Relâchez cet homme. Vous avez tiré de lui ce que vous vouliez. Son témoignage, il pourra le redire même libre.

— Ce n'est pas certain. Mais comme je suis sûr de le retrouver, pour vous servir, seigneur abbé, je le relâche. (Et à l'homme qui l'escortait :) Désencorde-le ! Qu'il aille se faire pendre ailleurs !

Thomas le Rouge ne se le fit pas dire deux fois. Malgré les coups et la douleur, il était assez fier de lui, il avait réussi à ne pas leur parler du bâton ni de l'anneau aux armes du seigneur de Merle.

Lorsque Guy de Servières se présenta devant le père abbé, Raymond de Pleaux était déjà là. Les deux cousins se dévisagèrent, l'un avec surprise, l'autre avec un léger embarras. Arnould ne leur laissa pas le temps de réagir et en vint droit au fait :

— Pourquoi, fit-il d'un ton sévère, nous avoir caché, messire de Servières, que c'était vous, aidé de votre écuyer, Pons, qui aviez mis le cadavre du pèlerin contre le mur de cette abbaye ? Un homme vous a surpris en train de le traîner depuis le petit bois jusqu'ici. Il vous a suivis, reconnus et son témoignage est formel.

— Aussi ne le nierais-je pas. Il dit la vérité.

— Mais enfin, pourquoi ? s'écria Raymond.

— Je crois t'avoir déjà répondu en partie l'autre matin, quand, tous, vous vous posiez cette question. Pourquoi ? Parce que le corps d'un homme chrétien ne doit pas pourrir sans sépulture, dans un bois, comme une charogne ! Ce n'est pas vous, père abbé, qui me contredirez ?

— Certes non, dit Arnould. Mais ce corps, comment l'avez-vous trouvé ? On peut vous accuser d'être le meurtrier.

En dépit de la gravité du moment, Guy eut un sourire qui éclaira ses yeux d'une lueur moqueuse :

— C'est ce que me prédisait Pons, se rappelant que ton prévôt, cher cousin, ne m'a jamais aimé. Et qu'il serait trop aise de m'imputer ce crime. À ce que je vois, c'est fait. Puis-je savoir sur quoi il étaie son accusation ?

— Tu as tort de le prendre sur ce ton, dit Raymond. L'affaire est grave car aux yeux du prévôt les deux morts sont liées.

— Il l'admet enfin !

— Mais essaie de comprendre, si tu es compromis dans l'un, tu l'es aussi dans l'autre.

— Explique-moi comment.

Le ton de Guy s'était durci. Il ne souriait plus. Arnould se hâta d'intervenir :

— C'est moi qui vais le faire en vous donnant la version de maître Taillefer.

Et il reprit toute l'argumentation du prévôt. Lorsqu'il eut achevé, Guy s'écria :

— Mais son raisonnement ne tient pas debout ! Ce pèlerin m'est totalement inconnu. Nous avons trouvé son corps, Pons et moi, par le plus grand des hasards, en rentrant de la chasse parce qu'un lièvre blessé s'était réfugié dans le fourré où le cadavre était dissimulé. J'ai décidé de le porter à l'abbaye pour la raison que je vous ai dite mais aussi pour une autre. Il m'a paru qu'il y avait grande déloyauté dans cette affaire et j'ai voulu contrecarrer le plan du meurtrier. Il désirait cacher son crime, moi, je l'ai exhibé. Je pensais aussi que, peut-être, il viendrait à la fête de Saint-Martin et qu'à la vue du corps il se trahirait.

— Ce qu'il n'a pas fait ! fit avec ironie Raymond. Tu dis ne pas connaître le pèlerin, mais cette fille, Flor, et son compagnon, l'Oiselet, tu prétends aussi que tu ne les connaissais pas ? Tu ne les avais pas rencontrés en Espagne. Vous en venez tous trois ! Et tu as reconnu que tu t'entretenais avec elle au bord de la rivière au moment où fut tué l'Oiselet, noyé dans cette même rivière. Voilà beaucoup de coïncidences !

— La vie en est faite. Mais, justement, pour en revenir à l'Oiselet, je trouve, père abbé, que notre prévôt accorde grand crédit à la phrase de Pons que Thomas le Rouge a entendu prononcer dans le bois : « Voulez-vous que le prévôt vous accuse du crime ? » – phrase qui ne prouve en rien que ce crime je l'ai commis, tout le contraire à mon sens. Et en regard, à aucun moment, il ne fait mention de phrases que je juge, moi, le pivot des deux meurtres. Celles qu'a dites l'Oiselet, à vous-même, père abbé, face au mort. Il y faisait allusion à une mission de justice, je le répète « de justice », dont aurait été chargé le pèlerin et d'une dame à laquelle il aurait eu à faire des révélations « qui ne la feraient pas sourire ». Ce sont ses propres mots. Comment se fait-il, père abbé, qu'au lieu d'aller accabler une pauvre fille comme Flor le prévôt, ton prévôt, cher cousin, n'ait pas tenté de découvrir de quelle dame il s'agissait ? Sans compter que peut-être Flor avait-elle d'autres révélations à vous faire. On l'accable mais on ne l'interroge pas sur le seul point essentiel, pour moi, dans ce double meurtre.

— Si elle t'en a fait, tu dois nous les dire, dit vivement Raymond. Je suis chef de la vicomté de Pleaux et j'ai le droit de haute justice sur tout le pays.

— Crois-tu que je l'ignore ?

— En ce cas, dit le père abbé, vous vous devez de parler.

Guy parut hésiter puis se décida :

— Le pèlerin avait fait allusion à une bague qu'il devait montrer à la dame pour lui prouver qu'il disait vrai.

— Cette bague, il l'a montrée ?

Guy regarda son cousin :

— Enfin ! cela semble t'intéresser ! Ni montrée ni décrite, hélas ! Et on ne l'a pas retrouvée. S'il l'avait sur lui, le meurtrier n'aura pas manqué de la faire disparaître. C'est même peut-être à cause de cette bague que le pèlerin a été tué.

— Par la dame ? fit Raymond retrouvant son ironie.

— Le moment est mal venu pour plaisanter, dit sévèrement le père abbé.

— Je l'admets, dit Raymond mais si toute cette histoire de bague et de dame était une invention, si le pèlerin n'avait jamais eu aucune mission de justice ? Après tout, le seul qui nous en a parlé c'est l'Oiselet, appuyé ensuite par cette fille et à présent par toi, Guy.

Comme ce dernier faisait un geste de protestation, Raymond poursuivit :

— Je veux bien, moi, croire à ton innocence, nous sommes du même sang et chevaliers tous deux, mais je suis obligé de porter l'affaire devant mon tribunal et les hommes de mon conseil seront plus difficiles

à convaincre. Ils voudront des preuves, pas des mots.
De plus, après l'histoire de la foire et les soupçons de
sorcellerie qui pèsent sur cette Flor – sans fondement,
père abbé, je vous l'accorde –, elle aura bien des gens
contre elle et, partant, contre toi.

Guy observait son cousin. La même lueur moqueuse
était revenue danser dans ses yeux.

— Au fond, ce que tu es en train de me suggérer,
c'est d'éviter de comparaître devant ton tribunal, en
un mot, de fuir. Avec Flor de préférence. Cela t'évi-
terait des ennuis.

— À toi, surtout, dit avec colère Raymond. Si tu
ne veux pas le comprendre, tant pis !

— Et ton prévôt fermerait les yeux (il se mit à
rire) si tu le lui ordonnes ? Tu l'as nommé, il t'obéit.

Le père abbé s'était tu, courbé sur son siège :

— La justice des hommes... commença-t-il d'une
voix faible.

— Ah, non ! père abbé, dit Raymond en se levant,
j'ai pour vous beaucoup de respect mais ne sortez pas
de votre rôle, bornez-vous à parler de la justice de
Dieu. Celle-là, vous la connaissez !

Sur le seuil, il se retourna vers Guy :

— Écoute mon conseil et tâche de le suivre !

— J'y réfléchirai.

Et, saluant le père abbé, il sortit à son tour.

En voyant reparaître Raymond de Pleaux, si peu de temps après sa grande colère, Agnès se sentit glacée. Et Spérie s'attendait au pire. Mais il semblait avoir changé d'humeur. Souriant, courtois, semblable à l'image qu'Agnès avait eue de lui jusque-là.

— Ma mie, dit-il, je viens vous demander de m'aider à convaincre mon cousin Guy de partir au plus vite, avec cette fille s'il y tient, ce que je crois, car elle l'a envoûté et de la bonne façon. Je fermerai les yeux même pour elle.

— Partir mais pourquoi ?

— Ce serait trop long à vous expliquer mais croyez-moi, je ne lui donne ce conseil que par l'affection ancienne qui nous lie et pour lui éviter de comparaître devant mon tribunal après avoir été arrêté.

— Arrêté, lui !

— Et condamné à peu près sûrement s'il est assez fou pour ne pas s'enfuir. Double meurtre, du pèlerin et du jongleur. Les hommes de mon conseil ne plaisantent pas sur le sujet.

— Mais les preuves...

— Il y en a, malheureusement, trancha Raymond. Je ne dis pas que moi, je le crois coupable, encore que j'aie quelques raisons de douter de son innocence. Mais vous, ma mie, vous êtes liée à lui depuis l'enfance, parlez-lui. Il vous écoutera. Il en va de sa vie, je vous le répète. J'aurai déjà bien de la peine à calmer mon prévôt, je le fais pour Guy (il sourit) et pour vous aussi, ma mie, je ne voudrais pas que nos noces soient assombries par sa mort, une mort infamante.

Il se retourna vers la servante qui avait écouté en silence :

— Convaincs-le aussi, toi, Spérie. Je vous laisse. J'ai fort à faire.

Après son départ, il y eut un silence, puis Agnès s'écria :

— Guy, coupable d'un double meurtre ! Guy envoûté par Flor ! Cela, je ne le croirai jamais.

— Moi non plus, dit Spérie d'un air sombre. Mais pourquoi le vicomte Raymond veut-il les faire fuir tous deux ? Fuir, c'est se reconnaître coupables...

— Et ils ne le sont pas, dit Agnès d'un ton décidé.

— Reste à le prouver, mignonne, ni vous ni moi ne le pouvons. C'est bien le malheur !

— Nous, non, fit Agnès en réfléchissant, mais si quelqu'un... quelqu'un qui aime Guy, qui saurait déjouer les plans de ce maudit prévôt – car je suis certaine qu'il influence Raymond en mal ! –, quelqu'un d'assez puissant...

— Et d'assez redouté, continua Spérie avec un demi-sourire... Je vois bien de qui vous voulez parler... Je croyais qu'il vous faisait peur...

— Pour Guy, je surmonterai toute peur. Mais, toi qui le connais, crois-tu qu'il acceptera...

— De nous aider ? J'en mettrai ma tête à couper. Rien que pour faire enrager le prévôt !

— Alors, c'est décidé. Nous irons chez lui demain sans rien dire à personne.

L'office de nuit commençait. Dans la partie du chœur qui leur était réservée, les moines chantaient les versets du psaume « Exultet Terra ».

— Exulte la terre ! Les masses de la mer mugissent, la campagne entière est en fête, les arbres des forêts dansent de joie devant la face du Seigneur qui vient pour juger la terre...

Agenouillé dans sa stalle, Arnould écoutait. Pouvait-on se réjouir, danser de joie dans ce monde de fer où les haines l'emportaient partout sur l'amour ? où les pierres volaient sur une pauvre fille accusée de sorcellerie parce qu'elle ne couvrait pas ses cheveux d'un voile et dansait dans une baraque foraine ?

Juger la terre... Le Seigneur le pouvait, mais les hommes ? Lui, Arnould, n'aimait pas la façon dont Raymond de Pleaux et son prévôt menaient l'enquête sur le double crime. Il en ressentait un malaise et ne pensait pas que Guy fût coupable. Mais comment le prouver ? Et qui était, alors, le meurtrier ?

Il s'était rarement senti aussi impuissant, aussi vieux.

Frère Jérôme, tout en psalmodiant avec les autres, pensait : « Si seulement le Prieur n'était pas parti pour Aurillac, il aurait soutenu le père abbé. Le prieur, lui, était un homme dans la force de l'âge, énergique et droit, même s'il aimait un peu trop, selon frère Jérôme, les beaux manuscrits et les enluminures... Les frères copistes y laisseraient la vue ! »

À la sortie de l'office, au lieu de regagner le dortoir, il se glissa jusqu'à l'infirmerie. Frère Urbain le regarda entrer avec surprise et plus encore en entendant sa requête.

— Une potion remontante pour notre père abbé ? Il n'en a pas donné l'ordre. Je ne peux enfreindre la règle.

— Tu le peux, fit avec décision frère Jérôme, si c'est pour son bien. Si le prieur était là, il l'aurait ordonné au moins depuis deux jours. Tu ne vois pas que notre père abbé est exténué ? Tu veux le voir s'écrouler ? Fais-moi cette potion et c'est moi qui la lui porterai. Ainsi la punition tombera sur moi, non sur toi. Je dirai que je t'y ai forcé.

Subjugué par l'autorité de frère Jérôme que, par ailleurs, il aimait bien, frère Urbain s'en fut préparer la potion. En la donnant, il recommanda :

— Pas plus de deux cuillerées, matin et soir. Cet électuaire est très puissant.

— Sois tranquille, je le lui dirai.

Frère Jérôme n'était tout de même pas très rassuré en frappant à la porte de la cellule du père abbé. Arnould s'apprêtait à se coucher et regarda avec étonnement frère Jérôme et le pichet qu'il tenait à la main.

Mais lorsque frère Jérôme se fut expliqué, Arnould lui sourit avec une grande douceur et reprit les paroles du psaume :

— Frère Jérôme, c'est devant un cœur comme le tien que les arbres des forêts devraient danser de joie. Je boirai ta potion. Dors en paix.

Et il le bénit.

Frère Jérôme en avait encore chaud au cœur, le lendemain matin en reprenant son service à la porterie. Comme d'habitude, il scruta le ciel, huma l'air et inspecta du regard la cour de la première enceinte où s'activaient palefreniers et valets. Il vit qu'on sortait de l'écurie deux chevaux sellés avec montant à l'arçon de devant et portant un seul étrier. Quelles dames quittaient l'hôtellerie de l'abbaye, ce matin ? Dans les logis, il n'y avait guère que la jeune dame de Montal qui en occupe un en ce moment. Se pouvait-il qu'elle parte déjà ? Mais il y aurait eu plus d'affairement, de va-et-vient de valets, de bagages...

C'était pourtant elle qui sortait, suivie de sa servante. Toutes deux montaient à cheval. Et, ma foi, la servante en dépit de son âge, avec autant d'agilité et d'aisance que sa jeune maîtresse. Tout de même, pensa frère Jérôme, un cheval pour une servante, un mulet eût suffi. Il se reprocha aussitôt cette pensée peu chrétienne mais sa curiosité demeura : où pouvaient-elles bien se rendre ? Ni pour aller à la foire ni pour gagner le bourg trop proche, elles n'auraient eu besoin de montures. Leurs pieds auraient suffi à les y porter !

Il les vit franchir les portes de la première enceinte et prendre, au carrefour de la croix, le chemin de gauche. Il menait à l'abbaye de moniales de Reygades, dont la mère de Raymond de Pleaux était depuis peu abbesse.

Frère Jérôme se sentit soulagé d'un poids : c'était sûrement là qu'elles se rendaient. Quoi de plus normal que d'aller visiter la mère de son futur époux ?

Pourtant, frère Jérôme ne pouvait se défaire de la pensée qu'au-delà du monastère de Reygades le chemin qu'elles avaient pris menait au château de Merle, là-haut, sur son rocher, dans ce vallon sauvage qu'on disait infesté de mercenaires déserteurs.

Il se secoua. Qu'allait-il penser là ! Il traîna cependant toute la matinée un sentiment d'anxiété qui lui était si peu habituel qu'il en rendit responsable le temps : il allait sûrement neiger !

6

L'ANNEAU AUX TROIS MERLETTES

Hugues de Merle avait faim et il était de très mauvaise humeur. Il rentrait de la chasse où un grand cerf dix cors qu'il poursuivait depuis deux jours lui avait encore une fois échappé. Et un sanglier qu'il ne poursuivait pas avait si mal estropié un des chevaux qu'il avait fallu l'abattre.

Aussi, lorsque Jacquet, qui lui servait d'intendant et de majordome à la fois, vint l'avertir que deux femmes l'attendaient depuis le début de l'après-midi, il grogna :

— Renvoie-les. Je n'ai pas envie de femelles, ce soir. Qu'on m'apporte plutôt à manger !

— C'est que..., commença Jacquet, il s'agit de la jeune dame de Montal et de sa suivante.

Hugues resta sans voix un instant, puis la retrouva pour hurler :

— Et tu ne le disais pas, animal ! Tu mériterais le fouet. Où sont-elles ?

— Dans la première salle.

Hugues s'y précipita et tonna de nouveau :

— Que faites-vous ici, toutes deux ? Et où avez-vous laissé les hommes de votre escorte ? Ils n'ont pas osé entrer ?

— Nous n'avons pas d'escorte, dit Agnès.

— Pas d'escorte ! Vous êtes venues de Hautefage jusqu'ici, seules ? Malheureuses folles ! Vous auriez pu être attaquées dix fois ! Les bois fourmillent de mercenaires déserteurs. Spérie, il faut que tu sois tombée sur la tête. Et qu'est-ce qui vous a fait courir si vite jusqu'à Merle ? On m'avait dit, fillette, que je te faisais peur.

— C'est la vérité, messire Hugues, mais j'ai encore plus peur pour votre neveu Guy. Vous seul pouvez l'aider. Il est accusé du double meurtre du pèlerin et du jongleur l'Oiselet, trouvé noyé l'autre matin.

— Cela je le savais. Mes hommes me l'ont dit. Mais qu'on puisse accuser Guy... Et ton beau vicomte, ton promis, qui a droit de haute justice sur toute la région, ne peut pas le tirer d'affaire, que tu aies besoin de moi ?

Agnès baissa les yeux :

— Il s'en défend, mais je pense qu'il le croit coupable.

— Alors, c'est qu'il est encore plus dindon que je ne croyais ! Il a des preuves ? Explique-moi, en détail, depuis le début.

Agnès raconta et dit en terminant :

— Messire Raymond ne voit qu'un moyen de le sauver, c'est de l'aider à fuir avant qu'il ne soit arrêté, lui et cette fille espagnole que les gens croient sorcière.

— Tiens donc ! C'est le père abbé qui la dit sorcière ?

— Non. Il a même accepté de lui donner l'hospitalité à Hautefage. C'est une sauveté[1]. Tant qu'elle ne sort pas de l'enceinte, nul ne peut l'arrêter.

— J'ai toujours pensé qu'Arnould était un homme juste et tolérant – ce qui est vertu plus rare encore. Et pour Guy, il ne peut rien ?

— S'il le pouvait, dit Spérie qui commençait à perdre patience, serions-nous ici, messire Hugues ? Croyez-vous que ce soit par plaisir que nous vous avons attendu de longues heures parmi vos sauvages ? À vous voir poser toutes ces questions, la moutarde me pique le nez. Si vous ne voulez pas nous aider, nous partons.

Hugues de Merle fronça les sourcils et Agnès pâlit. Il fallait que Spérie ait perdu la tête pour affronter ainsi cet homme coléreux – même s'ils avaient jadis bu le même lait !

Elle sursauta en entendant le rire d'Hugues. Un rire violent qui le secouait tout entier. Il donna une énorme tape sur l'épaule de Spérie :

1. Sauveté : bourgade franche, créée pendant la féodalité, à l'initiative des monastères, pour servir de refuge et procéder au défrichement.

— Tu serais bien attrapée, bergère, si je vous disais « Partez donc » ! Mais je ne le ferai pas. J'aime mon neveu Guy et il me déplaît de voir son cousin lui conseiller de fuir, ce qui équivaut à se reconnaître coupable.

— Qu'est-ce que je vous disais ? fit Spérie à Agnès. C'est la première idée qui vient à l'esprit. Et elle n'est pas celle d'un chevalier !

— Messire Hugues, dit Agnès en hésitant un peu, j'ai cru à vous entendre l'autre matin face au pèlerin mort... mais sans doute me suis-je trompée... J'ai cru, pardonnez-moi, que vous le connaissiez. C'est aussi une des raisons qui m'ont fait venir vers vous.

— Tu as de bons yeux, fillette. Ou de bonnes oreilles. Et tu ne t'es pas trompée. Oui, je le connaissais. Une très ancienne histoire de traîtrise et de brigandage qui lui avait valu une bonne raclée de ma part. C'était loin d'ici, du temps de mes premiers tournois. L'homme était une franche canaille et il n'a pas dû beaucoup changer. Quand j'ai vu son cadavre, je n'ai pas cru à son habit de pèlerin. Un déguisement de plus. Ni à sa mission de justice...

« Et à présent que je connais toute l'affaire, les propos qu'il a tenus au jongleur et à la fille, ce que je crois, moi, c'est qu'il avait surpris un secret, celui d'un crime sans doute, demeuré impuni, et qu'il a été tué en tentant de se faire payer son silence. »

Il se tut un moment. Puis il dit d'une voix changée :

— Spérie, toi qui la connaissais depuis l'enfance, tu n'as pas été étonnée que ma sœur Alix, la dame de Pleaux, soit entrée au couvent si soudainement après la mort de Géraud, son aîné ? Cela ne ressemblait pas du tout à son caractère.

— Elle était comme vous, messire Hugues, violente et dure, mais comme vous aussi elle avait de la droiture et de la loyauté. Puisque vous me le demandez, j'ai pensé qu'elle voulait expier le fait qu'elle n'aimait pas son fils aîné parce qu'il était malingre et boiteux et qu'elle était fière de son second fils, Raymond, qui était beau.

— Il l'est toujours, dit Agnès.

Hugues la regarda et eut un sourire moqueur :

— C'est pour cela que tu es ici à me demander d'essayer de sauver Guy ! Je l'avais prévu en vous voyant tous trois l'autre jour : il y aura de la plumée dans l'air ! Je ne pensais pas qu'elle revêtirait cette forme aiguë ! Bon. Avec tout ça, j'ai grand-faim, moi, vous aussi sans doute. Mangeons, nous aviserons après pour organiser votre retour à Hautefage sans que Raymond ait vent de votre venue ici.

À mesure que l'après-midi avançait, l'inquiétude de frère Jérôme augmentait. Où étaient-elles ? Pourquoi n'étaient-elles par rentrées ?

Il hésitait à prévenir le père abbé, ajoutant ainsi à ses soucis. Mais Agnès de Montal, depuis la mort de

ses parents, était, jusqu'à son mariage aux Pâques prochaines avec le vicomte Raymond de Pleaux, sous la
protection directe de l'abbé de Hautefage.

Le jour s'assombrissait, il commençait à neiger,
l'heure des vêpres approchait. Il allait devoir se rendre
à l'office. Que faire ?

Il regarda une dernière fois par la poterne et les
aperçut qui franchissaient la porte de la première
enceinte. Son soulagement se changea en stupeur
lorsqu'il vit qui les escortait : le seigneur de Merle
en personne accompagné de plusieurs de ses hommes.

Frère Jérôme n'y put tenir et s'avança à leur rencontre :

— Dois-je, messire Hugues, prévenir notre père
abbé de votre venue ?

Mais Hugues, sans descendre de cheval, lui cria :

— Laisse-le à ses prières ! Dis-lui seulement que
je lui ai ramené ces deux oiselles qui s'étaient éga-
rées pour avoir quitté trop tardivement le monastère
de ma sœur – je l'aurais crue mieux avisée ! Toutes
des folles !

Et il repartit avec ses hommes.

Les palefreniers s'activaient pour aider les deux
femmes à descendre de leurs montures. Frère Jérôme
s'éloigna sans rien leur demander, persuadé en son
for intérieur que le seigneur de Merle mentait.

Thomas le Rouge plaça le bâton du pèlerin sur la souche de chêne qui lui servait de billot et commença à l'entailler à mi-hauteur, de façon qu'on ne puisse plus l'identifier. Il peinait. Ces bois blancs sont plus durs qu'on ne pense et le bâton était de bonne grosseur. Il se hâtait car il redoutait toujours de voir surgir un des hommes du prévôt ainsi que Taillefer l'en avait menacé.

Il s'arrêta un instant, essuya d'un revers de manche son front en sueur malgré le froid de la matinée. Le ciel bas annonçait la neige.

Il entendit, trop tard, le galop du cheval et le seigneur de Merle fut devant lui avant qu'il ait pu bouger un doigt. Quand il le vit sauter de son cheval et qu'il se sentit saisi par le bras, Thomas le Rouge transpira tout de bon et de tout le corps cette fois ! Hugues de Merle lui faisait cent fois plus peur que les hommes du prévôt, et il lui revint en mémoire dix récits de cruauté chuchotés à l'oreille car de les dire haut, nul n'osait.

— Ainsi, dit Hugues, tu t'apprêtais à partir en pèlerinage, à ce que je vois. Ce n'est pas l'époque.

Et il saisit le bâton sans lâcher le bras de Thomas.

— Où l'as-tu trouvé ? Dans le bois, près du corps, le soir où tu épiais messire de Servières et son écuyer ? Ne nie pas, je connais l'histoire. Mais je veux t'entendre, toi, me la conter sans oublier cette fois le bâton. De lui, tu n'as pas parlé au prévôt. Tu n'avais

pas reçu assez de coups de fouet pour t'y décider ?
À moi, tu vas le dire et vite ! Je ne suis pas patient.

Il parla, grelottant de peur mais sans toutefois mentionner la bague. Il espérait encore la garder. Peine perdue ! Hugues avait vu la cavité creusée au sommet du bâton. Lâchant le bras de Thomas, il le saisit par une oreille et le secoua si rudement qu'il la lui arracha à demi.

— Qu'y avait-il dans ce creux ? Décide-toi avant que je ne te coupe les doigts de la main, l'un après l'autre. Je le ferai, tu me connais.

Cette fois, Thomas le Rouge se vit perdu.

— Un anneau.

— Où est-il ?

Thomas pensa d'abord dire : « Je l'ai perdu », mais à l'air moqueur du seigneur de Merle il se sentit deviné et il avoua :

— Je l'ai caché.

— Où ?

— Dans ma cabane.

— Nous allons l'y chercher.

Thomas s'agenouilla, gratta le sol, tira l'anneau et le tendit à Hugues. Et malgré sa peur, il était curieux de voir ses réactions en découvrant son blason gravé sur l'anneau. Mais il fut déçu.

Hugues regarda l'anneau en silence et le glissa dans la bourse pendue à sa ceinture.

— Si tu en parles à quiconque, tu es mort.

Thomas le regarda monter à cheval et s'éloigner. Il pensa qu'il ne saurait jamais quel mot était gravé à l'intérieur de l'anneau. Il se remit avec philosophie à entailler le bâton. C'était, avec les coups, tout ce qui lui restait.

L'arrivée du seigneur de Merle au monastère de moniales de Reygades provoqua le même émoi que si le diable en personne, avec ses cornes et sa fourche, eut frappé à la porte.

La sœur tourière pensa s'évanouir, puis ce fut un envol éperdu de voiles blancs et de robes de bure, à travers les galeries du cloître.

La mère abbesse, seule, conserva son sang-froid. Elle connaissait son frère ! Pour qu'il vienne ainsi jusqu'à son couvent, il fallait qu'une raison impérieuse l'y pousse. D'une voix égale, elle ordonna à la sœur tourière de le faire entrer et elle se prépara à l'affronter.

Il ne se perdit pas en circonlocutions :

— Alix, voici cinq ans, ton fils Géraud est mort, au cours d'une chasse, d'un accident, et son écuyer Pierre de Livrade en conçut un tel désespoir qu'il quitta le château de Pleaux et même le pays, peu de temps après. Nul ne le revit et nul ne s'en étonna. Ce qui surprit davantage ce fut ta brusque décision de fuir le monde pour t'enfermer ici.

Elle gardait le silence.

— J'ai essayé de comprendre, Alix. Car tu étais ma sœur préférée et nous nous ressemblons. Nous aimions les mêmes jeux violents, la chasse, les chevaux, les longs galops. Nous avons aussi en commun l'orgueil qui nous raidit la nuque face à l'adversité. Nous ne savons pas ployer comme tant d'autres, nous cassons.

Elle continuait à se taire.

Il tira de sa bourse l'anneau pris à Thomas.

En le voyant, elle ne put réprimer, cette fois, un sursaut.

— Cet anneau, sur lequel j'avais fait graver ton prénom, Alix, je te l'ai donné au matin de tes noces avec Aymar de Pleaux en te faisant promettre de le donner à ton premier fils pour qu'il se souvienne à son tour qu'il était par toi de notre lignage, de notre sang à nous, les seigneurs de Merle.

Elle avait joint les mains, seul signe d'émotion qu'elle manifestât.

— Cet anneau, tu l'as, selon ta promesse, donné à ton fils Géraud quand il a eu quinze ans. Tu n'as pas eu à le faire agrandir. C'était un adolescent chétif, aux doigts de fille, rêveur, sans rien de ta force ni de ta violence. Il ne partageait aucun de tes goûts. C'est Raymond qui te ressemblait. C'est lui que tu aimais. La mort de Géraud, qui faisait de lui l'héritier de Pleaux et de la vicomté, ne t'a guère attristée. Les jours qui suivirent, tu ne pouvais empêcher ton visage de rayonner. Tu étais heureuse. Alors pourquoi, brusquement, peu après, le couvent ?

— Pourquoi poses-tu aujourd'hui cette question ? Laisse les morts dormir en paix.

— Pas quand les vivants sont menacés. Deux meurtres viennent d'être commis par quelqu'un qui a voulu reprendre cet anneau parce qu'il l'accusait. Quand on a ramené Géraud à Pleaux, personne n'a remarqué qu'il ne le portait plus ?

— Non. Pas même moi. Dans l'émoi général, le désordre qui s'ensuivit, qui aurait pensé à cela...

Elle semblait troublée et murmura :

— Si c'est Pierre qui le lui a enlevé...

— Son écuyer, bien sûr ! s'écria Hugues. Je commence à comprendre ! Pas par fidélité mais pour se protéger... Alix, tu ne peux plus te taire ! Dis-moi ce que tu sais !

Mais elle s'était déjà ressaisie :

— Si j'ai des comptes à rendre, c'est à Dieu seul que je les dois désormais. Va-t'en !

7

Le meurtrier démasqué

Les jours d'hiver ou de mauvais temps, la cour de justice se tenait non plus en plein air, sur le perron, mais dans la grande salle du château de Pleaux.

C'était une pièce de vastes dimensions et assez austère avec ses murs peints à fresque dans des tons jaune et ocre rosé et, la seule note vive, du vermillon sur le bois du plafond. La cheminée de pierre s'ornait du blason de Pleaux et par les ouvertures étroites, closes la nuit de volets, passait peu de lumière. Aussi, presque toujours des torches de résine brûlaient dans les torchères de fer accrochées aux murs, et l'on disposait sur les coffres des chandelles enfoncées au creux de bougeoirs en cuivre.

Mais ce matin-là, tout de neige et de vent, la principale source de lumière venait du feu, des souches énormes brûlant à pleine cheminée, dans des rougeoiements de flammes hautes et des dorures d'étincelles.

La table où siégeaient les membres du conseil de justice avait été placée de façon à joindre à l'agrément de la clarté pour les yeux celui de la chaleur pour les dos. Les principaux membres étaient déjà là, chevaliers pour la plupart dont certains fort âgés, tel Renaud, de la châtellenie d'Alayrangues, qui avait été écuyer du prince d'Antioche en sa jeunesse, ou Simon du fief de Morcœur chez qui le père de Raymond, Aymar de Pleaux, avait appris l'art de la chevalerie. Y étaient joints, pour représenter le bourg de Miegemont, le plus important de la vicomté, Pragne, un gros marchand drapier et Pradel, maître orfèvre le plus réputé de la région.

Tout le monde était debout en attendant la venue de Raymond de Pleaux. Seuls les deux clercs chargés des registres étaient assis sur un banc en retrait, une chandelle éclairant leur écritoire.

La salle se remplissait peu à peu de gens du bourg et des villages proches, tous hommes libres, attachés à leur droit de présence mais venus aussi pour le spectacle comme à l'église un jour de fête.

Raymond de Pleaux parut enfin, entouré des chevaliers de sa mesnie, de ses écuyers et de ses valets d'armes. Il était vêtu avec son élégance habituelle d'une ample robe de brocart cramoisi serrée à la taille par une ceinture cloutée de turquoises par-dessus des chaussures de velours. Sur ses cheveux noirs, un simple chapel orné d'une plume de faisan.

Il rejoignit sa place, au haut bout de la table, salua les membres du conseil de justice et s'assit sur le fauteuil au dossier sculpté à ses armes.

Le reste de sa suite se plaça autour de lui, sur des bottes de paille mises là à leur intention.

À la lueur changeante des flammes, les traits de Raymond de Pleaux se cernaient d'ombres mouvantes et il semblait soucieux.

En fait, depuis une semaine, il ne décolérait pas. Il avait été forcé de tenir cette cour de justice dont il ne voulait pas. D'abord par le refus de Guy de fuir comme il le lui avait conseillé, ensuite par l'empressement du prévôt à vouloir en finir avec un procès qu'il estimait gagné d'avance tant il était sûr de ses accusations.

Lorsqu'il avait voulu faire arrêter Guy, il ne l'avait pas pu. Le père abbé qui l'abritait à Hautefage avait refusé net de le livrer aux hommes du prévôt. Et Raymond n'avait pas osé employer la force et risquer de provoquer un scandale alors qu'il sentait monter et croître autour de lui une hostilité quasi générale. La veille encore, il avait constaté avec déplaisir qu'aussi bien Renaud d'Alayrangues que Simon de Morcœur – les plus écoutés du conseil en raison de leur âge – arrivaient mieux disposés envers Guy qu'envers le prévôt. Ils jugeaient ses accusations discutables et ne s'étaient pas privés de le dire bien haut.

Et il y avait aussi Agnès ! Une épine supplémentaire dans une couronne déjà bien fournie ! Elle se montrait si visiblement hostile que Raymond en arrivait à se demander comment elle réagirait au cas où Guy serait condamné. Irait-elle jusqu'à refuser de l'épouser ? Avec l'appui d'Arnould elle le pouvait. Le roi Henri respectait le père abbé de Hautefage – chacun le savait – il s'était rendu deux fois à l'abbaye lors de son dernier séjour aquitain. Si Arnould sollicitait l'approbation du roi, il l'obtiendrait. Et le roi Henri avait beau être usé et malade, le corps envahi d'abcès purulents, il n'en restait pas moins le maître. Devant ses décisions suzeraines, force était de s'incliner. Ou alors se rebeller, rejoindre le parti du prince Richard révolté une fois de plus contre son père, avec l'aide du roi de France. Mais c'était risquer de tout perdre. Raymond ne pouvait s'y résoudre et il tenait à ce mariage avec Agnès. La châtellenie de Montal était l'une des plus importantes du pays après la vicomté de Pleaux. Cette alliance, prévue de longue date entre l'héritière de Montal et l'aîné de Pleaux, Géraud d'abord, lui à présent, présentait, en les unissant, de grands avantages pour les deux seigneuries. Il ne voulait pas s'en priver.

Il avait obtenu qu'Agnès n'assiste pas à la cour de justice – ce qui eût été déplacé – mais elle avait délégué Spérie qui devait se trouver là, en fond de salle, parmi cette foule de gueux et de manants qu'il eût volontiers fait expulser à coups de bâton par les hommes du prévôt. Mais c'eût été enfreindre le droit et risquer l'émeute.

Et tandis que le prévôt prenait place face au conseil et que le héraut d'armes s'apprêtait à appeler Guy, Raymond maudissait son cousin, responsable de tout ce désordre. Quel besoin avait-il eu d'aller tirer le cadavre du pèlerin du buisson où il était enfoui pour l'exposer à la vue de tous ? Au mur de l'abbaye qui pis est, pour mieux compliquer le problème. Quand on savait combien les abbés de Hautefage étaient jaloux de leurs prérogatives. Ainsi, pour cette fille d'Espagne, lavée de tout soupçon de sorcellerie par le tribunal ecclésiastique qu'Arnould avait promptement réuni et présidé. Dans la grande salle du château de Pleaux, tous attendaient Guy de Servières. À la stupeur générale, ce fut Hugues de Merle qui parut. Escorté de ses hommes et vêtu comme à l'ordinaire, cheveux et barbe toutefois moins embroussaillés et, en place du couteau de chasse, une fort belle épée au côté.

Il s'avança vers la table du conseil, s'inclina devant les chevaliers les plus âgés puis devant Raymond.

— Beau neveu, dit-il de sa voix tonnante, je viens pour une fois user du droit ancestral des seigneurs de Merle en prenant à ton conseil la place qui m'est due.

Il y eut un silence et chacun put remarquer les traits soudain contractés de Raymond qui se ressaisit vite :

— Bel oncle, vous m'honorez si peu souvent de votre présence que je ne puis que me réjouir de votre soudaine décision. Prenez donc place parmi nous.

Un écuyer apporta un tabouret de plus, et Hugues de Merle s'assit tandis que ses hommes se mêlaient à la foule.

Le héraut, par deux fois, cria :

— Messire Guy de Servières.

Guy s'avança de sa démarche souple, un peu dansante, et les femmes de l'assistance se montraient du doigt le brin de houx piqué à son chaperon, en chuchotant « Comme autrefois, comme à quinze ans... », tandis que le teint du prévôt s'empourprait d'exaspération. Ce brin de houx était un pied de nez fait à la justice et à l'autorité !

Lorsqu'il fut face au conseil, Raymond se leva et dit :

— Guy de Servières, tu es devant notre conseil pour y répondre de l'accusation portée contre toi par notre prévôt Guillaume Taillefer de double meurtre contre un pèlerin inconnu en premier lieu, puis contre un jongleur du nom de Jean l'Oiselet. Avant d'entendre ce que tu as à dire pour ta défense, le conseil doit entendre l'accusation en son entier. Maître Guillaume Taillefer, parlez.

Le prévôt s'avança à son tour et reprit toute l'argumentation déjà développée devant le père abbé de Hautefage. Les membres du conseil écoutaient en silence. Lorsque le prévôt eut fini, Renaud d'Alay-rangues dit :

— Messeigneurs, je propose que, avant de poser aucune question concernant une accusation qui ne me convainc qu'à demi, nous entendions ce que Guy de Servières a à dire pour sa défense.

— Oui, dit Hugues de Merle, car nous venons d'entendre la plus belle fable que de ma vie j'aie entendue !

Le prévôt s'empourpra de nouveau :

— Messire de Merle en parle à son aise. Pour siéger parmi vous, messeigneurs, faut-il donc se faire brigand ?

Raymond fronça le sourcil :

— Prévôt, je vous ordonne de vous taire. Vous dépassez ce que permettent vos fonctions.

Comme les paroles du prévôt avaient suscité des murmures et des gestes violents parmi ses hommes, Hugues de Merle se leva :

— Merci, beau neveu, mais je n'ai pas besoin, pour me défendre, de ton aide. Brigand peut-être, prévôt, et je m'en flatte si c'est être brigand de défendre mes paysans sur mes terres contre ceux qui viennent piller leurs biens, ruiner leurs récoltes, violer leurs filles pendant que tes hommes à toi pourchassent des braconniers, beaux gibiers de potence en effet, ou des criminels imaginaires !

Et il s'assit tandis que des murmures d'approbation couraient dans l'assistance et que Simon de

Morcœur, qui avait eu maille à partir avec le prévôt, disait entre haut et bas, mais de façon à être tout de même entendu :

— Bien parlé ! Mets ça dans ta besace, Taillefer, et assieds-toi dessus.

Le prévôt écumait de rage mais ne répliqua rien. Guy de Servières dit alors :

— Messeigneurs, ainsi que je l'ai déjà expliqué au seigneur abbé Arnould de Hautefage, je ne connaissais pas ce pèlerin, et ce fut par hasard, en pourchassant un lièvre, que mon écuyer Pons ici présent et moi-même sommes tombés sur son cadavre. Par souci chrétien, pour qu'il ne pourrisse pas sous un buisson comme une bête et aussi, je dois le dire, parce que ce corps caché témoignait de la volonté du meurtrier de voir son crime impuni, nous l'avons porté jusqu'à l'abbaye.

— En cela nous ne pouvons que t'approuver et tu as agi en chevalier, dit Renaud d'Alayrangues. Mais, continue !

Guy évoqua alors l'Espagne, sa conversation avec Flor au bord de la rivière, la disparition de l'Oiselet et comment il avait pensé qu'elle ne pouvait être que liée aux paroles imprudemment prononcées par le jongleur.

— Ce faisant, messeigneurs, il signait son arrêt de mort. Celui qui l'a tué voulait l'empêcher de parler davantage.

— Sans doute, dit l'un des chevaliers, mais quelle preuve avons-nous qu'il n'avait pas inventé cette histoire de dame et de bague ? Quelle dame, d'abord ? C'est vague. Et la bague, où est-elle ? Il ne l'a pas vue et elle a disparu. Comment le croire ?

Le prévôt dit en s'inclinant :

— Messeigneurs, c'est l'argument que j'ai moi-même opposé à la version de messire de Servières. Il n'a pas pu me répondre et pour moi tout est inventé.

— Prévôt, dit Hugues de Merle, quand cesseras-tu de te tromper ! Cette bague, le jongleur ne l'avait sans doute pas vue, le pèlerin se gardant bien de la montrer, mais elle existe. La voici.

Et il tendit à l'assistance l'anneau pris à Thomas le Rouge.

— Cet anneau était celui que portait depuis ses quinze ans ton frère Géraud. Tu le reconnais ?

Raymond fixait l'anneau, l'air stupéfait :

— Comment est-il entre vos mains ? Pourquoi mon frère n'a-t-il pas été enterré avec ? Qui le lui a ôté du doigt et pourquoi ?

— Ces questions, moi aussi, je me les suis posées.

Raymond le regarda d'un air de défi :

— Et quelles réponses avez-vous trouvées ?

— Celles que j'ai trouvées ne vont guère te plaire.

Il se leva :

— Mes seigneurs, cet anneau qui porte gravées les trois merlettes de notre lignage m'amène à me retourner contre un homme de notre sang. Et c'est moi, Hugues de Merle, que tous nomment le seigneur brigand, qui ai aujourd'hui honte de te voir présider une cour de justice, Raymond de Pleaux, car je t'accuse du triple meurtre de ton frère Géraud, du pèlerin et du jongleur.

L'assistance fut d'abord saisie de stupeur puis, de toutes parts, ce fut le tumulte. Les mêmes mots volaient : infamie, vilenie, sans que l'on sache qui ils visaient. Car les chevaliers de la suite de Raymond s'étaient dressés, menaçant Hugues dont les hommes s'étaient, de leur côté, avancés vers le tribunal. La mêlée risquait de devenir générale.

— Silence ! tonna Hugues. Toi, Raymond, que me réponds-tu ?

— Pour sauver votre autre neveu, Guy, que n'iriez-vous imaginer ! (Et se tournant vers les membres du conseil, effarés :) Qui dit que cet anneau est celui de mon frère ? Le seigneur de Merle a pu en faire ciseler un semblable par un de ces Vénitiens qu'il sait si bien rançonner !

Sans relever l'insulte, Hugues répliqua avec calme :

— Ils sont plutôt marchands d'épices qu'orfèvres mais nous en avons un ici. Maître Pradel, examinez cet anneau et dites-nous s'il est ancien ou fait d'hier.

Le maître orfèvre prit l'anneau d'une main tremblante et sans oser regarder Raymond de Pleaux :

— S'il est ancien, la preuve en sera vite faite. Tout métal s'use à l'usage, l'argent plus vite qu'un autre.

Tandis qu'il examinait l'anneau, le silence, dans la grande salle du château de Pleaux, était devenu si dense que le grésillement des torches de résine et les craquements du bois qui brûlait prirent une intensité inhabituelle.

— Cet anneau est ancien et a été longtemps porté.

Raymond de Pleaux haussa les épaules :

— Cela prouve-t-il que j'ai commis les trois forfaits dont m'accuse mon oncle, Hugues de Merle ? Mes seigneurs, je vous fais juges !

Le tumulte reprit de plus belle. Les membres du conseil se consultèrent à voix basse, puis Renaud d'Alayrangues imposa le silence et dit :

— Hugues de Merle, tu viens de porter une accusation si terrible que nous ne pouvons croire que tu l'aies inventée. En dehors de l'anneau, sur quoi l'as-tu fondée ?

— Sur quelques faits précis et un raisonnement. D'abord, il faut que vous sachiez, tous, que ce pèlerin, moi aussi je le connaissais. Je l'avais rencontré au soir d'un tournoi qu'avait organisé à Provins le comte de Champagne. Il faisait partie de cette faune qui virevolte autour des chevaliers ces soirs-là, espérant leur extorquer un peu de l'argent que les uns ont perdu, les autres gagné. J'en avais gagné qu'il tenta de me voler de vilaine façon, par traîtrise, puis, se voyant pris, de me tuer aussi traîtreusement qu'il avait voulu me voler. Je n'ai, de ma vie, fouetté un homme libre, mais celui-là reçut de moi au visage le plus beau coup de fouet que j'aie jamais donné. Il en resta marqué à la joue et au front. Outre que j'avais gardé en mémoire ses traits, je n'ai pas eu de peine, l'autre matin, à le reconnaître. C'est alors que me sont venus de premiers doutes. Jamais pareil larron ne se serait fait pèlerin. Quant à accomplir une mission de justice, lui ! Je n'y pouvais croire.

— Mes seigneurs, intervint le prévôt, nous voici bien éloignés du crime !

— Tu trouves, prévôt ? Pas moi ! Le second doute m'est venu lorsque, ayant appris le rôle de Thomas le Rouge dans cette affaire, je l'ai interrogé moi aussi, maître Taillefer, et j'ai eu plus de flair que tes hommes avec moins de coups. C'est lui qui a trouvé l'anneau caché dans le bâton du pèlerin que ce dernier, prudent, s'est bien gardé de montrer lorsqu'en arrivant au château de Pleaux, en fait de dame, c'est toi, Raymond, qu'il a trouvé. Il n'avait plus besoin de donner une preuve pour convaincre, il avait l'assassin devant lui ! Et il le savait. Il s'apprêtait à te rançonner, Raymond, dirais-tu !

Raymond l'écoutait, un demi-sourire de dédain aux lèvres :

— Un simple anneau vous permet de m'accuser ?

— Il m'a fait repenser à ton frère et à toi, à vos conditions si différentes. Tu avais tous les dons et Géraud en avait si peu ! Le brillant chevalier, c'était toi, mais lui était l'aîné. À la mort d'Aymar, votre père, tout lui est revenu, les fiefs, la vicomté, la puissance et l'argent. Toi, tu devais suivre le destin commun à tous les cadets, ou demeurer à Pleaux en simple chevalier ou t'en aller courir la fortune en tournois. Tu n'as pas pu le supporter. Tout s'est mélangé en toi, jalousie, ambition, révolte. Et tu as imaginé cet accident de chasse. C'était habile. Chacun y a cru. Même moi. Encore qu'à l'époque j'avais trouvé étrange que Pierre de Livrade, qui chassait seul avec lui ce jour-là, ait quitté Pleaux si vite après la mort de Géraud que cela ressemblait à une fuite. Et plus étrange encore l'entrée si soudaine de dame Alix de Pleaux, ta mère, au couvent de Reygades. Seul un événement grave pouvait l'y avoir poussée.

Raymond se dressa, furieux :

— Je vous interdis de parler de ma mère.

Soudain, une voix s'éleva :

— Mais à moi, que peux-tu interdire ?

La foule s'écartait devant une femme enveloppée d'une cape sombre dont elle venait de rejeter en arrière le capuchon, découvrant les traits demeurés beaux d'Alix de Pleaux, l'abbesse de Reygades.

Elle s'avança vers la table du conseil et fit face à son fils : chacun put voir alors comme ils se ressemblaient.

— Peux-tu m'empêcher de dire tout haut ce que je tais depuis cinq années, expiant dans le silence du cloître mon propre silence ? Depuis cette nuit où, ici même, je te vis dans l'embrasure d'une de ces fenêtres avec Pierre de Livrade, où j'entendis qu'il t'accusait du meurtre de ton frère, te menaçait de te dénoncer et toi, tu lui offrais mille livres tournois, une somme considérable pour qu'il se taise et parte. Il accepta le marché, se tut et partit. Vous ne vous étiez ni l'un ni l'autre aperçu de ma présence et si, à mon tour, je me suis tue, ce fut par amour pour toi et par orgueil aussi, ne pas voir traîné dans la boue le lignage que je t'avais transmis. Et j'aurais continué de me taire si je n'avais pas connu ces nouveaux crimes, les paroles du pèlerin que rapporta le jongleur. La dame, c'était moi, le mourant qui lui avait confié l'anneau, Pierre de Livrade. Dès lors, je ne pouvais plus me taire. C'était le châtiment de Dieu pour mon orgueil.

Raymond était très pâle :

— Vous dites que vous m'aimez, ma mère, et pourtant vous me condamnez. Vous me croyez donc coupable ?

— Ose dire que tu ne l'es pas ?

À présent ils se défiaient. Si semblables. La même beauté, le même orgueil.

Chacun dans la salle retenait son souffle.

Raymond dit avec violence :

— Oui, je l'ose.

— Alors, que Dieu t'épargne Sa colère ! Mais, moi, ta mère, je te maudis, Raymond de Pleaux !

Elle quitta la salle dans un silence cette fois épouvanté. Même Hugues de Merle baissait la tête.

Guy de Servières qui était demeuré tout ce temps immobile, comme frappé de stupeur, se ressaisit et se dressa à son tour face à son cousin :

— Comment peux-tu t'obstiner à nier quand la vérité est là qui crie ? Dès le début il était évident que les meurtres du pèlerin et du jongleur étaient liés. Le seul point obscur était de savoir ce que le pèlerin avait à révéler de si grave qu'il en était mort et à qui il faisait cette révélation. L'anneau fournissait la réponse. Tout, dès lors, s'enchaînait. Pierre de Livrade, mourant, pour libérer son âme d'un silence qui le faisait complice d'un péché redoutable, un fratricide, tente de faire découvrir la vérité qu'il croit seul détenir. L'habit de ce pèlerin le rassure. Il lui confie l'anneau, lui raconte le crime, l'envoie à Pleaux auprès de dame Alix dont il ignore qu'elle est depuis cinq ans au couvent. Le pèlerin aussi l'ignore. On imagine sa stupeur, peut-être même son inquiétude face à un seigneur jeune et qu'il sait meurtrier. La mission de justice, il s'en moque. Il veut de l'argent et se méfie. Mais pas assez. Venu pour soi-disant négocier, tu le tues, Raymond, avec cette dague, qui est peut-être là à ta ceinture...

Raymond arracha alors la dague de son fourreau et bondit sur Guy en hurlant :

— Elle servira encore !

Mais Hugues de Merle qui ne l'avait pas quitté des yeux pendant tout le récit de Guy fut plus rapide et, tirant son épée, le transperça.

Raymond s'effondra sur le sol. Mort.

Un des clercs s'écria :

— Le jugement de Dieu !

L'assistance reprit le cri. Hugues de Merle fit une grimace et murmura :

— Avec l'aide de mon épée !

Et s'approchant de Guy, il lui frappa l'épaule :

— Te voilà lavé de tout soupçon et libre.

— Sans vous..., commença Guy.

Hugues l'arrêta d'un geste, regarda le corps de Raymond :

— Perfide et déloyal jusqu'au bout... Un homme de mon sang !

Spérie qui était accourue dit vivement :

— Messire Hugues, un fruit pourri condamne-t-il l'arbre qui l'a porté ?

Hugues de Merle hocha la tête :

— Sans doute as-tu raison. Mais je pense à Alix.

Et, appelant ses hommes, il quitta la salle sans saluer personne.

ÉPILOGUE

Le jour de Pentecôte de l'an 1189, le père abbé de Hautefage, Arnould, maria Agnès de Montal et Guy de Servières. Le roi Henri II d'Angleterre se mourait, et son fils Richard ne pouvait que pardonner à qui avait servi le roi de France, pour l'heure encore son allié.

Guy rentrait dans ses biens et y adjoignait la vicomté de Pleaux restée sans héritier. Mais eût-il dû poursuivre ses errances, Agnès l'aurait suivi avec le même élan. Sauf peut-être en Espagne... Ce pays avait failli leur coûter trop cher. Et puis... Flor... Un brin de jalousie ne messied pas à la jeune épouse d'un seigneur qui s'amuse à piquer son bonnet du brin de houx de ses quinze ans !

Flor qui, ce même jour, cheminait vers Tolède. Fidèle à sa promesse, le changeur Garin l'avait emmenée.

Quant au seigneur de Merle, il avait offert à Agnès pour ses noces un collier en or ciselé dont mieux valait sans doute ignorer l'origine...

Les grâces dites et les époux bénits, Agnès et Guy quittèrent l'abbaye. Depuis la porterie, frère Jérôme les regarda partir en souriant et il pensait que les meurtres, qui sont assurément l'œuvre du diable, avaient parfois aussi du bon.

JACQUELINE MIRANDE

L'auteur est née dans le Bordelais. Elle est historienne. Après avoir beaucoup voyagé, elle partage maintenant son temps entre Paris, Arcachon et les romans presque tous historiques qu'elle écrit pour les jeunes et qu'elle prend un vif plaisir à imaginer.

Du même auteur :

Libraire de nuit
6 récits d'un château fort
Beau-Sire, cheval royal
Simon, bâtisseur de cathédrale
Meurtres à l'abbaye (Double meurtre à l'abbaye,
Crime à Hautefage, Ce que savait le mort de la forêt)
Gannorix

WILFRIED BARTOLI

L'illustrateur de la couverture est né à Poitiers. Il a fait des études de dessin à l'école des Beaux-arts de Dijon. Sa technique préférée est la peinture à l'huile, qu'il utilise pour les illustrations, les couvertures et les bandes dessinées. Il a également peint des fresques monumentales pour divers organismes culturels.

TABLE DES MATIÈRES

ROMANS

Tout un monde de lecture
entre les mains.

TITRES DÉJÀ PARUS

Flammarion jeunesse

Chaân, la rebelle (tome 1)
Christine Féret-Fleury

3 500 ans avant notre ère, au cœur de la Préhistoire...
Chaân, une jeune fille éprise de liberté, défie les lois de son
peuple en apprenant à chasser en secret. Elle est alors
rejetée par tous les habitants du village et par son propre
père. Chaân semble prête à tout pour conquérir
son indépendance. Mais saura-t-elle surmonter
les épreuves qui l'attendent ?

*« Non, elle ne laisserait personne l'empêcher
de vivre à sa guise. S'il le fallait, elle se battrait.
Elle supporterait les pires épreuves... »*

Le premier épisode des aventures de Chaân.

Flammarion Jeunesse

Claudine de Lyon
Marie-Christine Helgerson

Claudine a onze ans, elle travaille dix heures par jour
dans l'atelier de son père, à tisser de la soie.
Mais cette vie épuise la petite fille
qui tombe gravement malade. Pour guérir, elle part
à la campagne. Claudine veut retrouver la santé
et elle n'a pas envie de retourner à Lyon pour travailler.
Ce qu'elle désire par dessus tout, c'est aller à l'école
et réaliser son rêve : savoir lire, écrire et surtout dessiner.

« J'en ai assez de recevoir des ordres. Je veux choisir
pour moi. Je sais bien ce que je ferai : j'irai à l'école,
j'apprendrai des tas de choses et je ferai des dessins
encore plus beaux que ceux de Carlo. »

Flammarion Jeunesse

De Sacha à Macha
Rachel Hausfater et Yaël Hassan

Derrière son ordinateur, Sacha envoie des mails
à des destinataires imaginaires, comme autant
de bouteilles à la mer. Jusqu'au jour où Macha répond.
Commence alors une bien étrange correspondance,
pleine de tâtonnements mais aussi de confidences...
Est-ce le début d'une belle amitié ?

*« Tu m'as fait une de ces peurs ! J'ai eu l'impression
que j'allais tomber dans un gouffre. Tu es la seule personne
qui m'ait tendu la main : j'ai besoin que tu me la tiennes
encore un peu. Beaucoup. Longtemps. Toujours. »*

Flammarion *j*eunesse

Jonathan Livingston le goéland
Richard Bach

Jonathan Livingston n'est pas un goéland comme les autres.
Sa seule passion, c'est de voler toujours plus vite,
toujours plus haut. Incompris des autres goélands,
il est chassé du clan. Il poursuit, solitaire, sa quête de liberté.
Sera-t-il condamné à vivre son rêve seul ?

*« Il remarqua qu'aux vitesses extrêmes plusieurs plumes
dressées simultanément le faisait tournoyer comme une balle
de fusil… Jonathan venait de réussir la première
acrobatie aérienne de toute l'histoire
terrestre des goélands. »*

Flammarion Jeunesse

Imprimé à Barcelone par:
BLACK PRINT

Dépôt légal : septembre 2012
N° d'édition : L.01EJEN000441.A008
Loi n° 49-956 du 16 juillet 1949
sur les publications destinées à la jeunesse